BRAZIL BUILDS

Architecture New and Old

1652-1942

CONSTRUÇÃO BRASILEIRA

Arquitetura moderna e antiga

BRAZIL BUILDS

ARCHITECTURE NEW AND OLD 1652-1942

BY PHILIP L. GOODWIN

PHOTOGRAPHS BY G. E. KIDDER SMITH

THE MUSEUM OF MODERN ART, NEW YORK, 1943

CONSTRUÇÃO BRASILEIRA

ARQUITETURA MODERNA E ANTIGA 1652-1942

POR PHILIP L. GOODWIN

FOTOGRAFIAS DE G. E. KIDDER SMITH

MUSEU DE ARTE MODERNA, NOVA YORK, 1943

Printed in the United States of America. Printed by William E. Rudge's Sons for The Museum of Modern Art, New York, January, 1943. Impresso por William E. Rudge's Sons para o Museu de Arte Moderna, Nova York, Janeiro de 1943.

FOREWORD

The Museum of Modern Art, New York, and the American Institute of Architects in the spring of 1942 were both anxious to have closer relations with Brazil, a country which was to be our future ally. With this motive and with a keen desire to know more about Brazilian architecture, especially their solutions for the problem of controlling heat and light on large exterior glass surfaces, a flying trip was undertaken. G. E. Kidder Smith, architect, accompanied me to record scenery and architecture; the colonial had been widely photographed — the modern almost not at all. He was armed with a Zeiss Juwel A camera, 3 ¼ x 4 ¼ inches, with 6-inch Carl Zeiss Tessar and other lenses where needed. The color pictures were taken with a Zeiss Contax on Kodachrome film. A series D Graflex was used on some of the scenic shots.

It is hard to express our appreciation for the constant help of Lincoln Kirstein, and of Robert C. Smith of The Hispanic Foundation, Library of Congress, whose publications on colonial work in Brazil and its Portuguese sources were invaluable. We also have to thank Leon A. Kochnitsky for much scholarly assistance; Dr. Paulo Duarte for translations into Portuguese and many good suggestions; Monroe Wheeler, Director of Publications of The Museum of Modern Art, for wise advice; Alice Carson for planning the exhibition; George T. Bailey of William E. Rudge's Sons, Inc., for all kinds of technical help;

PREFACIO

O Museu de Arte Moderna, de Nova York, e o Instituto Norte-Americano de Arquitetos, achavam-se ambos, na primavera de 1942, ansiosos por travar relações com Brasil, um pais que ia ser nosso futuro aliado. Por esse motivo e pelo desejo agudo de conhecer melhor a arquitetura brasileira, principalmente as soluções dadas ao problema do combate ao calor e aos efeitos da luz sobre as grandes superficies de vidro na parte externa das construções, foi organizada uma viagem aerea. G. E. Kidder Smith, arquiteto, acompanhou-me para tomar vistas e aspetos arquitetônicos. O colonial foi fartamente fotografado e o moderno não ficou atrás. Kidder Smith levava uma máquina Zeiss Juwel A, com objetivas tambem Zeiss. As fotografias em côr foram tomadas com uma Zeiss Contax e películas "Kodachrome." Uma serie D Graflex usou-se em alguns aspetos.

Com prazer exprimimos o nosso melhor agradecimento pela constante ajuda de Lincoln Kirstein e de Robert C. Smith, da Fundação Hispânica da Biblioteca do Congresso, de Washington, cujas publicações a respeito das velhas obras coloniais do Brasil e suas fontes portuguesas são de valor inestimavel. Queremos agradecer tambem a Leon A. Kochnitsky por sua competente assistencia; a Paulo Duarte pelas traduções para o português e muitas excelentes sugestões; a Monroe Wheeler, Diretor de Publicações do Museu de Arte Moderna, por magníficos conselhos; a Alice Carson que organizou a exposição; a George T. Bailey, da firma William E. Rudge's Sons, Inc., por toda especie de auxilio técnico; a Bernard Rudofsky, arquiteto, por desenhos e modelos fornecidos; a E. McKnight Kauffer pelo desenho da capa; e, finalmente, a Elizabeth B. Mock, sem cuja infinita paciencia e entusiasmo, nem o texto nem o resto

Bernard Rudofsky, architect, for drawings and models; E. McKnight Kauffer for the cover design; and, finally, Elizabeth B. Mock, without whose unfailing patience and enthusiasm neither the text nor the layout would have made a fit accompaniment to the illustrations.

Among those who guided this study of Brazilian architecture *in situ* — a somewhat difficult undertaking under war conditions — was Gustavo Capanema, Brazilian Minister of Education and Health; next, we owe very real thanks to F. P. Assis Figueiredo, of D.I.P., under whose aegis we operated; also to Rodrigo Mello Franco de Andrade, of SPHAN, and Nestor E. de Figueiredo, of the Institute of Brazilian Architects, invaluable at all times.

Both D.I.P. and SPHAN prepared the way for us outside the two great cities. At Ouro Preto, Francisco Lopes and Cassio Figueiredo Damasio; at Salvador, José Allioni and Dr. Valladares; at Recife, Airton Carvalho, Benicio Whatley Dias, and Antonio Bezerra Baltar gave us of their time, their gasoline and their knowledge.

The architects provided the most essential help of all — material and plans. It is not possible to thank adequately the following: P. C. Almeida, Alvaro Vital Brazil, Roberto Burle-Marx, Flavio de Carvalho, Lucio Costa, Carlos Frederico Ferreira, Rino Levi, Atilio Corrêa Lima, Henrique E. Mindlin, Jorge Moreira, Oscar Niemeyer, Carlos Porto, Afonso Reidy, Marcelo and Milton Roberto, Paulo Rossi, Aldary Toledo and Gregori Warchavchik.

Most of the photographs in this book were taken by G. E. Kidder Smith. Credit is also due to the following photographers: at Rio, Marcel Gautherot and Eric Hess, Carlos, Photo Rembrandt and Photo Stille; at Recife, Benicio Whatley Dias; in the U.S.A., the New York Public Library, Burton Holmes (through Ewing Galloway), Samuel Gottscho (through *Town & Country). The Architectural Record* most kindly lent us

teriam tido o adequado acompanhamento de ilustrações.

Entre os que seguiram in loco este estudo da arquitetura brasileira — mau grado os precalços das condiçoes atuais de guerra — acha-se Gustavo Capanema, Ministro de Educação e Saude Pública do Brasil. Não queremos esquecer tambem a F. P. Assis Figueiredo, do D.I.P., Rodrigo Mello Franco de Andrade, do SPHAN, e Nestor E. de Figueiredo, do Instituto de Arquitetos do Brasil, incansaveis em todos os momentos.

Tanto o D.I.P. como o SPHAN abriram-nos caminho para duas grandes cidades. Em Ouro Preto, Francisco Lopes e Cassio Figueiredo Damasio; no Salvador, José Allioni e o dr. Valladares; em Recife, Airton Carvalho, Benicio Whatley Dias e Antonio Bezerra Baltar puzeram à nossa disposiçao o seu tempo, a sua gazolina e os seus conhecimentos.

Os arquitetos encarregaram-se da parte essencial — os objetos necessarios e mapas. Nunca poderemos agradecer suficientemente as seguintes pessoas: P. C. Almeida, Alvaro Vital Brazil, Roberto Burle-Marx, Flavio de Carvalho, Lucio Costa, Carlos Frederico Ferreira, Rino Levi, Atilio Corrêa Lima, Henrique E. Mindlin, Jorge Moreira, Oscar Niemeyer, Carlos Porto, Afonso Reidy, Marcelo e Milton Roberto, Paulo Rossi, Aldary Toledo e Gregori Warchavchik.

Muitas das fotografias aqui publicadas são devidas a G. E. Kidder Smith. Outras foram tiradas pelos seguintes fotógrafos: no Rio, Marcel Gautherot e Eric Hess, Carlos, Photo Rembrandt e Photo Stille: em Recife, Benicio Whatley Dias; nos Estados Unidos, a Biblioteca Pública de Nova York, Burton Holmes (por intermedio de Ewing Galloway), Samuel Gottscho (por intermedio de *Town & Country). The Architectural Record,* amavelmente, emprestou-nos planos e gravuras; *The Architectural Forum,* planos; e *Acropole,* uma fotografia.

plans and plates; *The Architectural Forum,* plans; *Acropole,* a photograph.

In the Office of the Coördinator of Inter-American Affairs, Nelson A. Rockefeller, Wallace K. Harrison and René d'Harnoncourt, as well as Berendt Friele at Rio, helped steer our course and make this book possible.

Allowance must be made for work so rapidly viewed and compiled. It is an attempt to show North Americans the charming old, and inspiring new buildings in Brazil. Other Latin Americans too may not be familiar with this side of one of their neighbors.

PHILIP L. GOODWIN

Chairman, Committee on Foreign Relations, A.I.A., and of the Architecture Committee of The Museum of Modern Art
Corresponding Member, Instituto de Arquitetos do Brasil

New York, December, 1942

No Gabinete do Coordenador de Assuntos Inter-Americanos, Nelson A. Rockefeller, Wallace K. Harrison e René D'Harnoncourt, bem como Berendt Friele, no Rio, ajudaram orientar a tentativa que tornou possivel este livro.

Pedimos indulgencia para as lacunas naturais num trabalho feito tão às pressas. E' um esforço para mostrar aos norte-americanos o encanto das velhas e a inspiração das novas construções no Brasil. Tambem outros muitos latinos-americanos podem não estar familiarizados com esta face da cultura dos nossos vizinhos brasileiros. E estes fatos justificam o esforço.

PHILIP L. GOODWIN

Presidente da Comissão de Relações Exteriores, A.I.A., e da Comissão de Arquitetura do Museu de Arte Moderna, de Nova York
Membro correspondente do Instituto de Arquitetos do Brasil

Nova York, dezembro de 1942

CONTENTS | INDICE

BRAZIL
Places mentioned in this book
EQUATOR
AMAZON RIVER
Belém
Manáos
Fortaleza
PARA
CEARA
AMAZONAS
PARAIBA
Olinda
PERNAMBUCO
Recife
BAIA
Paraguassu
Salvador
GOIAZ
Goiania
MINAS GERAIS
ESPIRITO SANTO
Belo Horizonte
Mariana
Congonhas do Campo
Vitoria
Ouro Preto
RIO DE JANEIRO
SAO PAULO
Niteroí
Rio de Janeiro
São Paulo
São Miguel
RIO GRANDE DO SUL

LIST OF BUILDINGS ILLUSTRATED

LISTA DE EDIFICIOS DAS ILUSTRACOES

EARLY BUILDINGS

(grouped by states)

EDIFICIOS ANTIGOS

(agrupados por Estados)

EARLY BUILDINGS

(continued)

EDIFICIOS ANTIGOS

(continuo)

PARA

MODERN BUILDINGS

(grouped by type)

EDIFICIOS MODERNOS

(agrupados por tipos)

REINFORCED CONCRETE CONSTRUCTION

CONSTRUCOES DE CIMENTO ARMADO

OFFICE BUILDINGS, APARTMENTS, HOTELS

EDIFICIOS DE ESCRITORIOS, APARTAMENTOS E HOTEIS

SCHOOLS, HOSPITALS, LIBRARIES

COLEGIOS, HOSPITAIS, BIBLIOTECAS

MODERN BUILDINGS
(continued)

EDIFICIOS MODERNOS
(continuo)

TRANSPORTATION BUILDINGS

EDIFICIOS DE SISTEMAS DE TRANSPORTE

MISCELLANEOUS

DIVERSOS

PRIVATE HOUSES

CASAS PARTICULARES

BUILDINGS FOR RECREATION

EDIFICIOS DE RECREAÇÃO

INTRODUCTION I

A shining silver airplane rushes over the great river Amazon, endless miles of rivers winding among marshes and islands far to the west. On it speeds, bumping among clouds over desolate wastes of green hills, not a village or human trace in sight. At last the new city of Belo Horizonte sprawls below near an octopus-shaped lake; the earth becomes a place for humans again. In another hour jagged mountains rim the eastern distance with little Petrópolis among the rocky peaks.

View of Rio drawn by Rugendas before 1835

Vista do Rio desenhada por Rugendas antes de 1835

The Douglas swoops down towards the marvelous bay that is Rio de Janeiro, perhaps the most extraordinary harbor in the world, New York and San Francisco not excepted. There it lies, thin lines of high buildings circling long loops of surf, while out of the blue water rise round, fantastic, leaning mountains. Around it all the creeping jungle dotted with "silver" trees forms a thick green lining.

In an airplane one can see hundreds of years of a nation's building in a few days.

Brazil was settled in 1520 and remained a Portuguese colony until the arrival in 1807 of King João VI. of Portugal, who was succeeded by his son, Emperor Pedro I of Brazil. The life

INTRODUCAO I

O enorme avião prateado atravessa velozmente o rio Amazonas. Quilômetros e quilômetros de agua sinuosa serpeando pântanos e contornando ilhas, a perder de vista. Prosegue depois através de tufos de nuvens, por sobre terras desertas, virgens do passo humano, apenas pontilhadas de colinas verdes.

De repente, a cidade de Belo Horizonte, ao lado de um lago em forma de polvo. A terra parece povoar-se, de novo. Uma hora mais e uma confusão de picos enche o horizonte, deixando ver, muito longe ainda, pequenina, Petrópolis como perdida nas elevações rochosas.

O aparelho pica sobre a maravilhosa baía de Guanabara, que dá ao Rio de Janeiro o melhor porto do mundo, superior mesmo aos de Nova York e a São Francisco. Vêem-se as linhas esguias dos edificios altos em semi-círculo sobre a orla marinha que se estende, depois de quebrar-se de encontro às montanhas inclinadas. Sobre o dorso delas, a selva, grimpando pela rocha, desabotoa-se em árvores numa densa faixa verde.

De avião, pode-se observar em poucos dias o que custou alguns séculos para ser construido.

O Brasil começou a desenvolver-se em 1520 e permaneceu colonia lusitana até a chegada, em 1807, de d. João VI, rei de Portugal e desde então do novo paiz, e ao qual sucederia seu filho, o príncipe d. Pedro, primeiro imperador do Brasil.

A vida e a arquitetura do período colonial

Fazenda Boa União. Coffee plantation in the state of Rio de Janeiro

Fazenda Boa União. Plantação de café, no Estado do Rio de Janeiro

and architecture of this colonial period were affected by three major influences: the Church, almost as powerful in Brazil as the King himself; Gold, discovered in Minas Gerais at the end of the 17th century; the Negro slave, imported from near-by Africa to build the buildings and to work the great fazendas (plantations) with their crops of oranges, sugar, cocoa, coffee and mandioca flour, the staple food of the back country.

To these special forces must be added the constant factors of the land and the climate. A large part of Brazil is hot and humid. Only the far south and the high mountains know real cold. São Paulo, on the high plateau, has a mean annual temperature of less than 60° Fahrenheit. The midday sun is hot; nights are cool. On the coastal plain below, in Rio and in Salvador, temperatures are considerably higher. Towards

sofreram tres influencias principais: a da igreja, quasi tão poderosa no Brasil como o proprio rei; a do ouro descoberto em Minas Gerais no fim do século XVII; e a da escravidão negra importada da Africa, destinada aos trabalhos nas cidades e nas grandes fazendas, com suas plantações de assucar, de café mais tarde, de cereais e mandioca, cuja farinha constitui ainda o principal alimento dos sertões.

A esses fatores podem adicionar-se ainda as condições naturais como a qualidade do solo e o clima. Grande parte do Brasil é quente e úmido. Sómente uma parte sul e as maiores altitudes conhecem realmente o frio. São Paulo, no planalto, gosa de uma temperatura anual media abaixo de 16 graus centígrados. O sol do meio dia é quente e as noites frescas. Na orla litorania, no Rio e Baía, a temperatura é bastante alta. Em direção ao Equador, em Recife e Belém,

the Equator, in Recife and Belém, the average figure often mounts to 80°.

Rio, São Paulo and Salvador have a yearly rainfall of five to seven feet, comparable to that of such very rainy parts of the United States as the northern Pacific coast or the tip of Florida. Belém, at the mouth of the Amazon, gets over eight feet of rain a year.

Fazenda Boa União. Farm buildings

Fazenda Boa União. Casa da fazenda

The highlands and the coastal plain, both relatively cool and dry, have naturally attracted most settlers. In general, the building has been along the coastline, — in Santos, Rio, Vitoria, Salvador, Recife, Fortaleza and Belém. Roy Nash, in his excellent book, *The Conquest of Brazil,* observes that this concentration of population "is by no means due alone to heat and humidity *per se.* Equally it is due to the fact that a by-product of heat and humidity — the ever-

essa media pode subir a cerca de 27 graus centígrados.

Rio, São Paulo e Baía contam um regime anual de chuvas de 150 a 210 centímetros, mais ou menos o mesmo das regiões chuvosas dos Estados Unidos, como a costa setentrional do Pacífico ou o no extremo da Flórida. Em Belém, na boca do Amazonas, essa proporção alcança até 240 centímetros anuais.

As regiões altas e a litoral, relativamente frescas e secas, foram naturalmente preferidos pelos colonizadores. As construções estendem-se em geral, ao longo da costa, em Santos, no Rio, em Vitoria, na Baía, no Recife, em Fortaleza e Belém. Roy Nash, no seu interessante livro *The Conquest of Brasil,* observa que essa localização de nucleos humanos "não é de modo algum devida à alta temperatura e à umidade *por si sós.*" Pode-se igualmente atribuir ao fato de que, como consequencia do calor e da umidade, as florestas cerradas de madeiras de cerne dificultaram sempre de modo violento a penetração dos primeiros agricultores. Da mesma forma, essa selva intrincada opunha todos os obstáculos à construção dos caminhos para o interior impondo o transporte por agua ou . . . por mar . . .

Tirante o calor e a umidade maiores, o clima do litoral não difere muito do de Portugal. Da

Interior of house in Vitoria

Interior de casa, em Vitoria

Fazenda Boa União. Main house

Fazenda Boa União. Séde

green hardwood forest — has always proved a devilish hard nut for the primitive agriculturist to crack." And these same luxuriant forests have been an obstacle to the road building which would have opened up the interior; transportation is even now mostly by water or by air.

Except for greater heat and humidity, the climate of the coastal plain is not so very different from that of the mother country. Nor was there any great difference in building materials. To be sure, wood was available in enormous quantities in the new country, whereas the supply was already very limited in Portugal. Due, however, to the innate Latin preference for masonry construction, wood has never become a popular building material in Brazil, and dampness and termites do not encourage its use.

As Robert C. Smith, of the Library of Congress, has pointed out, a more strongly original native architecture might have been developed if the Brazilian colonists — like the New England colonists — had had to meet a wholly different set of building conditions from those which they had known at home. As it was, the thick masonry walls, the high ceilings, the living quarters on raised foundations, and the stone floors and wainscots which characterized Portuguese architecture could happily be transplanted to the new country.

Along with these general building preferences came the Portuguese baroque style and Portugal's 18th century predilection for *azulejos,* or tiles. However, in comparison with Portuguese baroque churches, the colonial churches are simpler in plan, their exteriors less elaborately ornamented. The Brazilian church usually has a rather severe frame, enriched by gems of carving, and often, especially in Baía and Minas Gerais, shows a certain independence of Portuguese example.

The Jesuits founded many missions, all of which were destroyed either when the monks

mesma maneira não se nota muita diferença entre os materiais de construção. Era enorme a quantidade de madeira existente na nova terra, o contrario do que se dava em Portugal onde o seu uso estava já bastante limitado. Devido entretanto já aos efeitos ruinosos da umidade ou do cupim que não encorajam o uso, já a uma inata preferencia que os latinos têm pelas construções de pedra, de adobe ou de táipa, já por motivos outros, as casas de madeira nunca foram populares no Brasil.

Como bem salientou Robert C. Smith, da Biblioteca do Congresso, de Washington, uma arquitetura mais genuinamente autóctone poderia ter sido desenvolvida si os colonizadores do Brasil, como os colonizadores de Nova Inglaterra, tivessem sido obrigados a fazer face a uma série de condições diversas das existentes na metrópole. Dessa maneira, as paredes grossas, o pé direito elevado, os cômodos espaçosos, o assoalho de lages, e os roda-pés que caracterizam a arquitetura lusitana foram transplantados para o novo pais.

Conjuntamente com estas preferencias mais generalizadas vieram a baroco português e a predileção de Portugal oitocentista pelos azulejos.

Em comparação porém com as igrejas barocas da metrópole, as igrejas coloniais do Brasil são mais simples, os exteriores ornamentados com menos exagero. Usualmente, a igreja brasileira apresenta linhas gerais severas, enriquecidas por verdadeiras joias de talha e, a miudo, especialmente na Baía e em Minas Gerais, manifesta uma certa independencia em relação ao modelo português.

Os jesuitas fundaram muitas missões, que foram arrazadas pelos bandeirantes ou dissolvidas quando os primeiros expulsos do Brasil, em 1767. Foi preservada alguma coisa de São Miguel, no Rio Grande do Sul, o bastante para demonstrar a importancia delas.

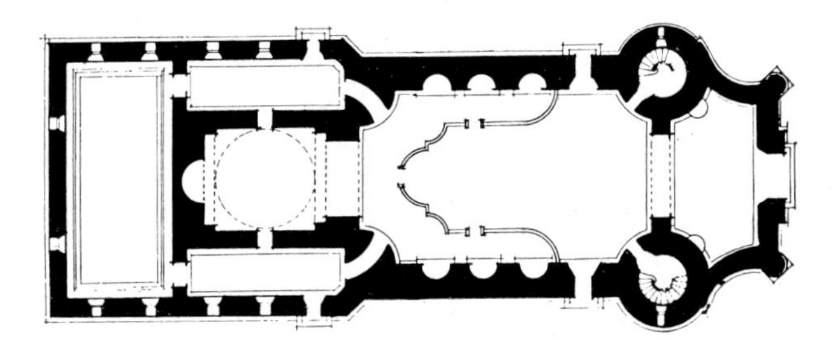

São Francisco de Assis, Ouro Preto, 1772-1794

were expelled from Brazil in 1767 or much earlier by the *bandeirantes*. Yet enough is preserved of São Miguel in Rio Grande do Sul to suggest its original importance.

São Bento in Rio is one of the earliest and most magnificent of the Benedictine foundations.

Cathedral at Braga, Portugal

Catedral, Braga, Portugal

In Salvador, Recife, Olinda and Ouro Preto the Carmelites, and especially the Franciscans, built and still maintain their splendid monasteries, lined with gold and with blue and white Portuguese tiles.

Any village church of the great plateau may be of stucco on masonry with orange stone cornice and pilasters; the frontispiece may be of

São Bento, no Rio de Janeiro, é uma das mais velhas e magestosas igrejas da Ordem Beneditina. Na Baía, no Recife, em Olinda e Ouro Preto, os Carmelitas e principalmente os Franciscanos erigiram e ainda conservam os seus esplêndidos mosteiros ou conventos, decorados a ouro e guarnecidos de azulejo português, em geral de suas cores mais comuns, azul e branco.

As igrejas de qualquer povoação de serra acima podem ser de pedra ou de taipa, com cornijas e pilastras de rocha alaranjada. O frontispicio algumas vezes é de pedra-sabão cinzenta muito trabalhada servindo de moldura a sólidas portas de madeira com pesadas almo-

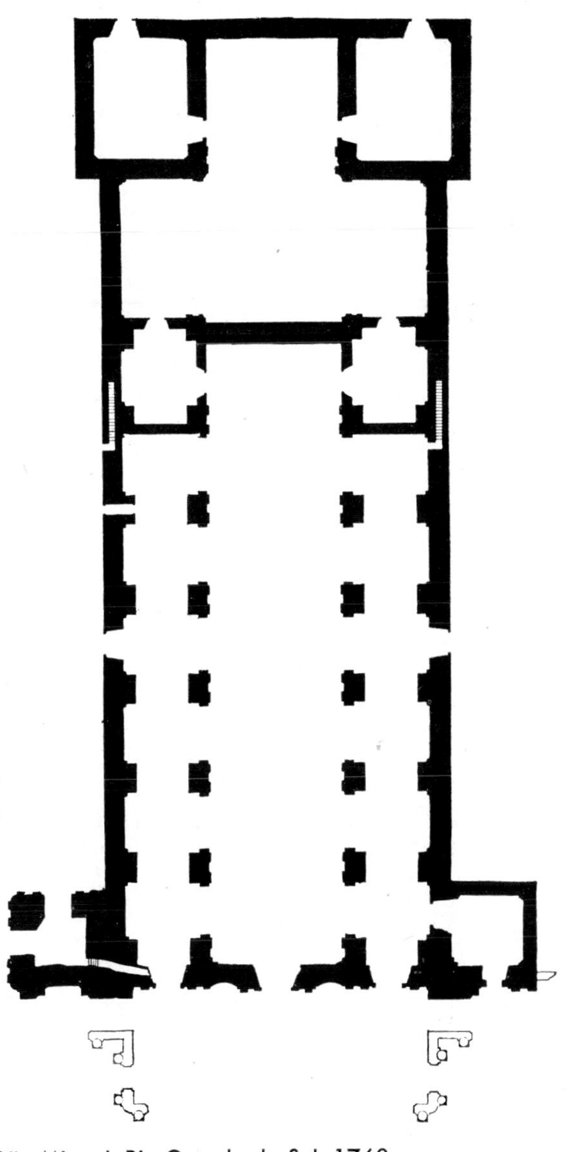

São Miguel, Rio Grande do Sul, 1760

Lavabo carved by Aleijadinho for Nossa Senhora do Carmo, Ouro Preto

Lavabo de talha feita pelo Aleijadinho para a igreja de Nossa Senhora do Carmo. Ouro Preto

gray soapstone, elaborately carved around great wooden doors with heavy bosses painted apple green or violet.

Interiors were literally plated with gold over intricate carving of leaves, figures and emblems. The richly ornamented ceilings were of wood and stucco. Stone vaultings and domes were curiously absent. On each side of the main body of the church hung an elaborate pulpit. At the focal point above the altar in the *capela mór* (chancel) rose tier upon tier of candlesticks, vases, flowers, to the central figure of the saint at the top. At the back or side of the church, and second in richness only to the *capela mór,* was the invariable sacristy with its painted and gilded ceilings, its heavy furniture carved of dark jacarandá wood, its intricately patterned stone floors, and its beautifully worked central lavabo.

fadas esculpidas, pintadas estas de côr de violeta ou verde maçã.

Os interiores costumam ser literalmente chapeados a ouro sobre talhas em forma de flores, figuras e emblemas, e tetos de madeira ou gesso, ricamente ornamentados. Pormenor curioso é a ausencia de cúpulas ou de cantaría arqueada. De cada lado do corpo principal da igreja, vê-se sempre um púlpito trabalhado. Sobre o altar da capela-mór, fila trás fila de castiçais, vasos, palmas, flores e a figura central do santo, ao alto. Atrás ou ao lado da igreja, só inferior em riqueza à capela-mór, vem a sacristía, sempre espaçosa, com seus tetos pintados e doirados, moveis pesados de jacarandá entalhado, chão de pedra de decorações intrincadas e o lavabo central, sempre ricamente trabalhado.

Como as fazendas enormes se dilatavam sempre com as suas centenas de alqueires de floresta derrubada para cobrirem-se de canaviais ou caféeiros, grandes armazens foram construidos em Santos, Baía, Belém e em muitas

Old warehouse in Recife

Velho armazem em Recife

As the fazendas grew large and spread out their thousands of acres of coffee trees or sugar cane into what had been virgin forest, vast warehouses were built in Santos in Salvador, and in Belém, to store the coffee, the sugar or the rubber until it could be shipped to the outside world. The low shores of Recife are lined with rows of pale pink, yellow and blue warehouses. At Salvador these buildings rise several stories to broad, flat gables framing seven to nine windows stepped up to the peak like organ pipes.

The great wealth from plantations and shipping went to a relatively small group of men, many of them with titles — *marquez, visconde* or *barão* — which they had brought with them from Portugal or had been given by the young empire. Many streets in Rio and other cities are named after them to this day. In addition to their fazendas they often had elaborate stucco- or tile-covered *solars* (villas) in town. Sometimes the gable ends were enlivened by the shining glazes of small vases and statues of white or multicolored Portuguese pottery.

In 1816 the Emperor imported a number of French artists, headed by that same Lebreton who was later to form the new school of the Belas Artes (Fine Arts). With painters like Debret, a pupil of David, and architects like Grandjean de Montigny, who designed the first school of

Teatro Santa Izabel, Recife

Palacio Rio Negro, Petrópolis

cidades de São Paulo e Minas Gerais, para servir de depósito de café, assucar ou borracha, até o embarque dessas mercadorias destino ao estrangeiro. As docas de Recife são cercadas de filas desses armazens pintados de um rosa pálido, amarelo e azul. Na Baía, tais edificios, às vezes de varios andares, erguem-se como escadas, dando a ideia dos tubos de um órgão.

A grande riqueza das plantações e os transportes pertenciam a um grupo relativamente pequeno de pessoas, muitas das quais marquezes, viscondes, condes ou barões, títulos da nobreza de Portugal ou concedidos pelo imperio. Muitas ruas do Rio e de outras cidades brasileiras conservam nomes desses nobres, até hoje. Além das casas das fazendas, construiam, na cidade, ricos solares de taipa, cobertos de telha portuguesa, frequentemente, com ornamentos multicores de olaria tambem portuguesa, como estatuas e vasos na fachada.

Em 1816, d. João VI mandou vir um grupo de artistas franceses, chefiados pelo mesmo Lebreton que mais tarde organizou a Escola de Belas Artes. Auxiliado por pintores como Debret, discipulo de Daví, e arquitetos como Grandjean de Montigny, autor do risco da primeira escola de belas artes, do edificio da alfandega e de outras construções do Rio, Lebreton disseminou os ensinamentos de Percier e Fontaine.

Opera house in Manáos

O Teatro de Manaus

the Belas Artes, the Customs House and other buildings in Rio, Lebreton spread the gospel of Percier and Fontaine.

A later member of this group was Louis Vauthier, who designed Recife's Teatro Santa Izabel, reminiscent of the Palais Royal in Paris. Its dignified porch, surmounted by the big arched windows of the foyer, does not announce the charming interior. The gray horseshoe of boxes and balconies, relieved with a little dull gold, must have made a perfect background for the gay costumes of Pernambucan highlife in 1850.

In the sweeping demolition which accompanied the great building boom of the nineteen thirties, it is fortunate that Brazil, since 1936, has had its SPHAN — Serviço do Patrimonio Histórico e Artístico Nacional — to preserve some of the more important monuments of its splendid past. One of the SPHAN museums is the Palacio Rio Negro at Petrópolis, the summer-house of Pedro II. Large, distinguished and se-

Um ultimo artista que se reuniu ao grupo foi Louis Vauthier, autor do projeto do Teatro Santa Isabel, de Recife, com influencia do "Palais Royal," de Paris. O pórtico nobre dominado pelas arcadas do salão principal não dão ideia do encanto interior. Frisas, camarotes e balcões em forma de ferradura, pintados de um cinza levemente decorado com ouro fosco eram fundo magnífico para a jovialidade social de Pernambuco, em 1850.

Ante a onda demolidora consequencia da febre de construções, iniciada ha varios anos, foi uma sorte a existencia, desde 1936, do SPHAN — Serviço do Patrimonio Histórico e Artístico Nacional — para preservar alguns dos mais importantes monumentos desse passado esplêndido. Um dos museus criados pelo SPHAN é o Palacio Rio Negro, de Petrópolis, residencia de verão de Pedro II. Amplo, severo e distinto, acha-se no meio de um jardim cerrado. Dentro, um esplendor vitoriano tornado tropical; assoalhos de essencias finas ou de mármore; portas de jacarandá escuro polido com delicadas bandeiras em forma de leque; uma profusão de sanefas e cortinas, candelabros de cristal e mobilia pesada.

A moda era instavel naqueles frenéticos derradeiros anos do século XIX. Manaus, a um percurso de cerca de mil e duzentos quilômetros subindo o Amazonas, possue um imponente tea-

Opera house in Manáos

O Teatro de Manaus

vere, it is set in a luxuriant garden. The interior has Victorian splendor gone tropical; floors of rare woods and marbles; doors of dark polished jacarandá topped with delicate fanlights; a profusion of lace curtains, crystal chandeliers and heavy furniture.

One fashion quickly followed another in the late 19th century. At Manáos, eight hundred miles up the Amazon river, stands an all too imposing opera house, product of the rubber boom. Without, it shows a native independence. Within, the purest *art nouveau* blossoms as it did in Brussels and Nancy in the eighteen-nineties.

The Avenida Rio Branco in Rio has its library, its museum, its theater, and its Monroe Palace. Perhaps the less said about them the better. Imposing they are, or mean to be, like the many clumps of monumental statuary which surround them. Rio, like Washington, succumbed to the international mania for warmed-over Palladio. Academic correctness was confused with living, breathing architecture, and the dreary pretentiousness of the result was equalled only by its sterility.

But the story has a happy ending. A few more years pass and almost overnight the lovely capital city was cured of its disease and began to reconsider its architectural possibilities in terms of modern life and modern building technique.

tro, do tempo da alta da borracha. No interior, manifesta-se o mais puro *art-nouveau* como Bruxelas e Nancy, na última década do século passado.

A Avenida Rio Branco, na capital federal, ostenta a sua grande biblioteca, um museu, um magestoso teatro e o Palacio Monroe, antiga sede do Senado. Talvez seja melhor não falar neles. Aparentam uma imponencia de acordo com os grupos estatuarios monumentais que os circundam. Rio de Janeiro, como Washington, foram vítimas da mania internacional do carregado à Palladio. A correção acadêmica se preferiu a uma arquitetura viva e adequada à terra e o efeito pretencioso e pesado só encontrava igual na sua esterilidade.

O caso porém teve um bom fim. Poucos anos decorridos e, quasi da noite para o dia, a encantadora cidade curou-se dessa doença, começando ver melhor as vantagens de uma arquitetura de acordo com a vida atual e com a moderna técnica construtora.

Rio de Janeiro

The original beauty of Rio seems to have suffered remarkably little during four centuries of building activity. Even where man has built most boldly or, from the point of view of modern city-planning, least sensibly, he has often contrived to enhance the natural splendor of the city. The same kind of miracle is responsible for the most exciting parts of San Francisco.

At Copacabana Beach, beloved by tourists and Cariocans alike, the surf sweeps in over a wide curve of dazzling white sand surrounded by a promenade of black and white blocks laid in a serpentine mosaic. The edge of the great ellipse is punctuated by the regularly spaced verticals of lofty hotels and apartment buildings. As the sun sets, their shadows stretch over the water.

Rio de Janeiro

A beleza original do Rio de Janeiro parece ter sido muito pouco prejudicada durante quatro séculos de atividade construtora. Sempre que o homen erigiu uma cidade, ainda que por acaso ou descuidadamente sob o ponto de vista do urbanismo moderno, tem procurado realçar o esplendor natural da mesma. Este fenômeno milagroso a causa tambem da existencia dos trechos mais interessantes da cidade de São Francisco da California.

Na praia de Copacabana, preferida tanto pelos turistas como pelos cariocas, as ondas vêm morrer ruidosas numa curva pronunciada de areia ofuscantemente branca, emoldurada de um passeio de pequenos mosaicos pretos e brancos armados em serpentina. Os bordos dessa grande elipse estão pontilhados das verticais regularmente espaçadas dos grandes predios modernos de hoteis e casas de apartamentos. Ao pôr do sol, suas sombras projetam-se longamente pelo mar a dentro.

Itamaratí Palace
Rio de Janeiro
José Maria Jacinto Rebelo, architect
1851–1854; restored 1928–1930

Although built as a private residence, the Itamaratí in 1889 became the first seat of the new republican government and more recently has been the Ministry of Foreign Affairs. Its architect, also responsible for the Imperial Palace at Petrópolis (see introduction), was a pupil of Grandjean de Montigny.

The palace is mirrored in a long pool edged with magnificent royal palms. It is designed in an Italian neo-classic style of great delicacy. Walls are pale pink stucco. Cornices and pilasters are white marble. Window trim is pinkish-gray native granite. The broad terraces are decorated with a variety of statues, including one of Washington, and the interior contains fine examples of early Brazilian furniture.

From former Foreign Minister Otavio Mangabeira, who instigated the restoration, to the present Foreign Minister, Dr. Oswaldo Aranha, the government has carefully preserved the charm of the palace and its garden.

Palacio do Itamaratí
Rio de Janeiro
José Maria Jacinto Rebelo, arquiteto
1851–1854. Restaurado em 1928–1930

Originariamente residencia particular, o Itamaratí em 1889 serviu de séde do novo governo republicano. Passou depois a ser o Ministerio das Relações Exteriores. O arquiteto, o mesmo que projetou o Palacio Imperial, de Petrópolis (veja-se a Introdução), foi discípulo de Grandjean de Montigny.

O palacio reflete-se sobre um tanque, de cujos bordos se elevam altas palmeiras imperiais. Suas linhas obedecem a um estilo grandemente delicado que é o italiano neo-classico. Paredes de um rosa pálido, cornijas e pilastras de mármore branco, os ornamentos das janelas são de granito brasileiro, de um rosa cinzento. Decoram os amplos terraços varias estatuas, inclusive uma de Washington. O interior contém exemplares finos de velho mobilario brasileiro.

Desde a gestão do ministro Otavio Mangabeira, que o fez restaurar completamente, até a do presente titular daquela pasta, dr. Osvaldo Aranha, o governo tem zelado muito pelo encanto do palacio e do seu jardim.

The original elegance of this pink stucco house is apparent even after years of neglect. Aside from the unusual facade arrangement of five windows over four arches, the house is quite characteristic of the cool and dignified mansions built by Cariocan aristocracy in the early 19th century.

A elegancia original desta casa caiada de rosa, evidencia-se ainda apesar dos anos de abandono. Além da fachada incomum, de cinco janelas sobre quatro arcos, a casa é um modelo caraterístico das frescas e magestosas mansões erigidas pela aristocracia carioca no começo do século XIX.

Ribeiro House

Largo do Boticario, rua Cosme Velho, Rio de Janeiro

On the old Largo do Boticario (Apothecary's Square) and backed up against a jungle-covered mountain side is this old house, remodeled by its former owner, Raimundo Siqueira. The courtyard and outbuildings have been embellished with a wonderfully varied collection of old Portuguese tiles.

Predio Ribeiro

Largo do Boticario, rua Cosme Velho, Rio de Janeiro

No velho largo do Boticario, com fundos de encontro à escarpa da montanha coberta de floresta natural, vê-se esta velha casa restaurada pelo seu antigo proprietario, sr. Raimundo Siqueira. O pateo e o exterior são decorados de uma variada e maravilhosa coleção de velhos azulejos portugueses.

Gloria Church

Rio de Janeiro, 1842

Julio Frederico Koeller and Philippe Garçon Rivière, architects

This small gem of neo-Gothic architecture, a famous Rio landmark, has recently been excellently restored by SPHAN.

Igreja de Nossa Senhora da Gloria do Outeiro

Rio de Janeiro, 1842

Julio Frederico Koeller e Philippe Garçon Rivière, arquitetos

Esta pequena joia da arquitetura neo-gótica forma um famoso panorama do Rio de Janeiro. Foi ha pouco esplendidamente restaurada pelo SPHAN.

Church and Monastery of São Bento
Rio de Janeiro, 1652

The severe and unremarkable exterior of this early church hides interiors of extraordinary richness. In its elaboration of baroque carving and gilding, the nave is second only to São Francisco at Salvador. The sacristy, always important in Brazilian churches, is here especially impressive.

Igreja e Mosteiro de São Bento
Rio de Janeiro, 1652

O severo exterior desta velha igreja esconde um interior de extraordinaria beleza. A nave baroca de entalhes dourados só encontra igual na de São Francisco, na Baía. E' especialmente impressionante a sacristia, peça sempre importante nas igrejas brasileiras.

Church of Santo Antonio
Rio de Janeiro

In the heart of the old city is the church of Santo Antonio sitting calmly above the bustle of Carioca Square. It is reached by an unusual stairway.

→

Igreja de Santo Antonio
Rio de Janeiro

No coração de velha cidade, a igreja de Santo Antonio alteia-se tranquilamente sobre o movimentado Largo da Carioca. Sobe-se até ela por uma original escadaria.

Fazenda Colubandé
São Gonçalo, near Niteroi; State of Rio de Janeiro
1st half 19th century

Typical community form of 19th century rural Brazil is the large fazenda or ranch, complete with sheds, workers' housing, and main house with adjoining chapel. Oranges were once the staple crop of this region.

The low, quiet lines of the house are complemented by the verticality of the rather elegant little chapel. Characteristic of old Brazilian houses is the fine contrast between the broad veranda with its sweeping view and the secluded court.

Fazenda Colubandé
São Gonçalo, perto de Niteroi, Estado do Rio de Janeiro
primeira metade do século XIX

A forma típica do nucleo brasileiro do século XIX é a grande fazenda, com os seus barracões, casas de colonos, e a casa-grande com a capela adjunta. A cultura da laranja era a principal da região.

As linhas baixas e discretas da casa encontram harmonioso complemento na verticalidade da pequena capela assás elegante. O delicioso contraste entre a patio retirado e o largo alpendre, donde se desfruta vasto panorama, é caraterístico das velhas casas brasileiras.

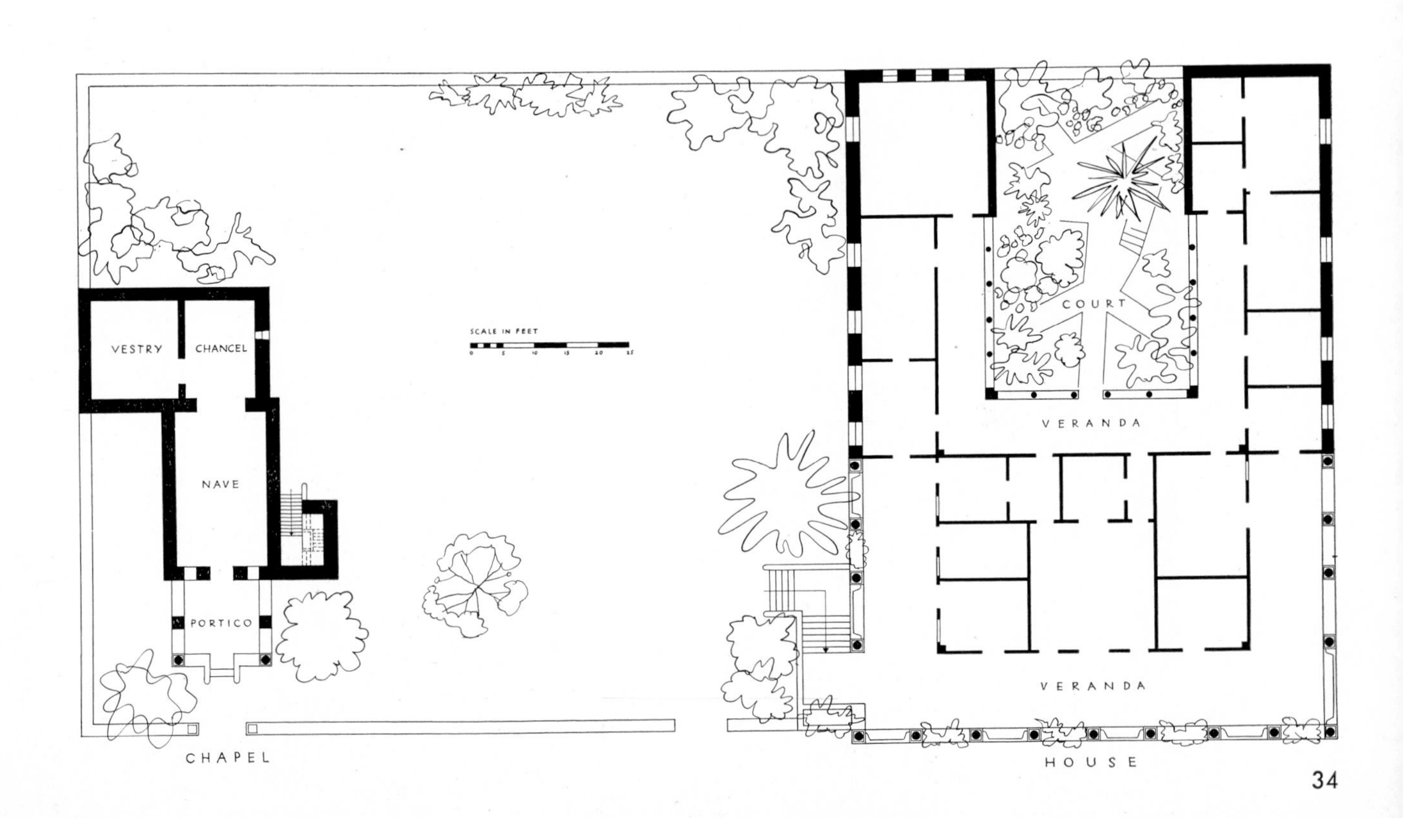

Fazenda Vassouras, State of Rio de Janeiro
middle 19th century

The simple, precise mass of the house rests easily on its monumental terrace. A massive stone staircase accents the sober geometry of the composition. Of very different character are the florid Victorian interiors with their heavy furnishings carved of dark *jacarandá* wood.

Fazenda Vassouras, Estado do Rio de Janeiro
meados do século XIX

A massa nítida e singela do edificio adapta-se perfeitamente ao seu terraço monumental. Uma sólida escadaria de pedra acentua sobria geometria da composição. De carater muito diferente são os vistosos interiores "vitorianos," com os seus pesados moveis de jacarandá escuro.

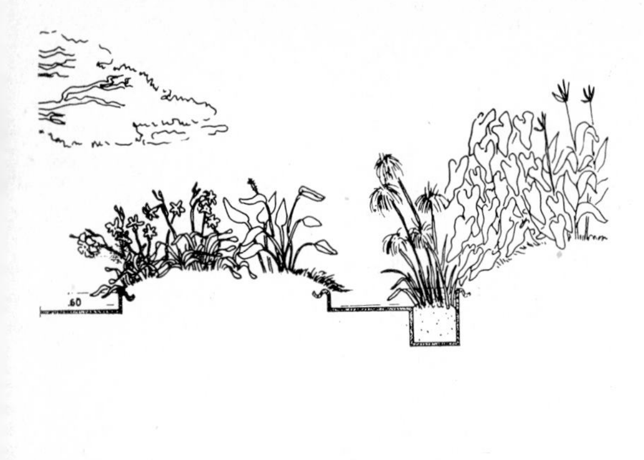

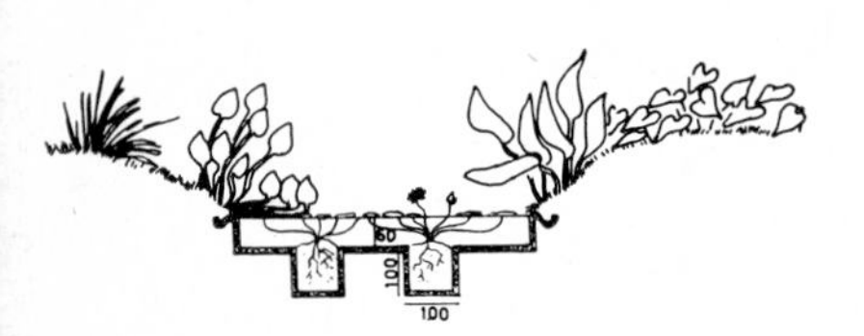

Fazenda Garcia
near Petrópolis; State of Rio de Janeiro

The low-hipped tile roof, the high basement, the stuccoed rubble walls and the pleasant veranda all make this a typical early fazenda. Exceptional, however, is the miniature chapel on the left side of the building. Only rarely was the chapel included within the wall line of the house itself.

The modern garden was planned by the landscape architect, Roberto Burle-Marx. Native plants, often scorned by Brazilian gardeners, are used here with romantic effect. Such fixtures as the artificial lily pond (left, 3 top drawings), the steps and the swimming pool are designed with skill and imagination.

The chief gardening problem in this region is not to encourage growth, but rather to discourage its over-exuberance. Reversion to jungle is disconcertingly rapid.

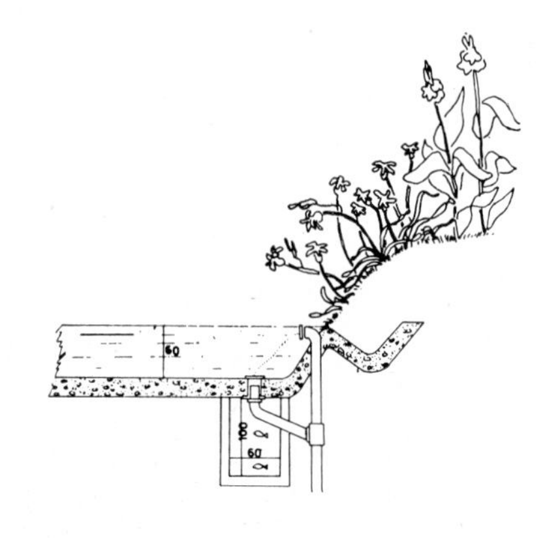

Fazenda Garcia
perto de Petrópolis; Estado do Rio de Janeiro

O telhado atarracado, de quatro aguas, o porão alto, as paredes de alvenaria rebocada e o agradavel alpendre, dão a esta casa o aspeto típico da velha fazenda brasileira. Excepcional, porém, é a pequenina capela ao lado esquerdo do edificio. Só raramente a capela acha-se incluida no corpo da casa.

O jardim moderno foi projetado pelo arquiteto paisagista Roberto Burle-Marx. As plantas da flora nacional, tão comumente desprezadas pelos jardineiros do Brasil, foram dispostas de modo a produzir um romântico efeito. Outros elementos, como o pequeno tanque (à esquerda, três gravuras superiores), os degraus e a piscina foram projetados com arte e imaginação.

O principal problema da jardinagem nesta região é combater a extraordinaria exuberancia das plantas, evitando o retorno à selva, desconcertantemente rápido.

Church of São Miguel
Rio Grande do Sul
João Batista Primoli, architect, circ. 1760

Unlike other Jesuit mission churches in Brazil, this church was embellished with a pedimented portico quite separate from the main body of the building (see plan in Introduction I). More usual in Jesuit architecture are the low massive proportions, the squat lateral tower, the simplified version of the prevalent baroque style. The facade bears considerable resemblance to that of the old cathedral of Buenos Aires. Difficulties preceding the expulsion of the Jesuits from Brazil in 1767 may have prevented completion of the building.

The church has been taken over by the Serviço do Patrimonio Histórico e Artístico Nacional (SPHAN). This enterprising organization, headed by Rodrigo Mello Franco de Andrade, has recently built a museum (shown on the next pages) to preserve São Miguel's fine sculpture.

Igreja de São Miguel
Rio Grande do Sul
João Batista Primoli, arquiteto, circ. 1760

Ao invés de outras igrejas das missões jesuíticas do Brasil, esta foi embelezada com um pórtico-frontão sensivelmente separado do corpo principal do edificio. As proporções macissas e baixas, a torre lateral um tanto acachapada, a versão simplificada do estilo baroco, então preponderante, são mais usuais na arquitetura jesuítica. A fachada apresenta grande semelhança com a da velha catedral de Buenos Aires. As dificuldades que precederam à expulsão dos jesuitas do Brasil, em 1767, teriam impedido a conclusão da obra.

A igreja está hoje sob a guarda do Serviço do Patrimonio Histórico e Artístico Nacional (SPHAN). Esta ativa organização, dirigida por Rodrigo Mello Franco de Andrade, criou recentemente um museu (conforme se vê na página seguinte) no qual se conservam as belas esculturas de igreja de São Miguel.

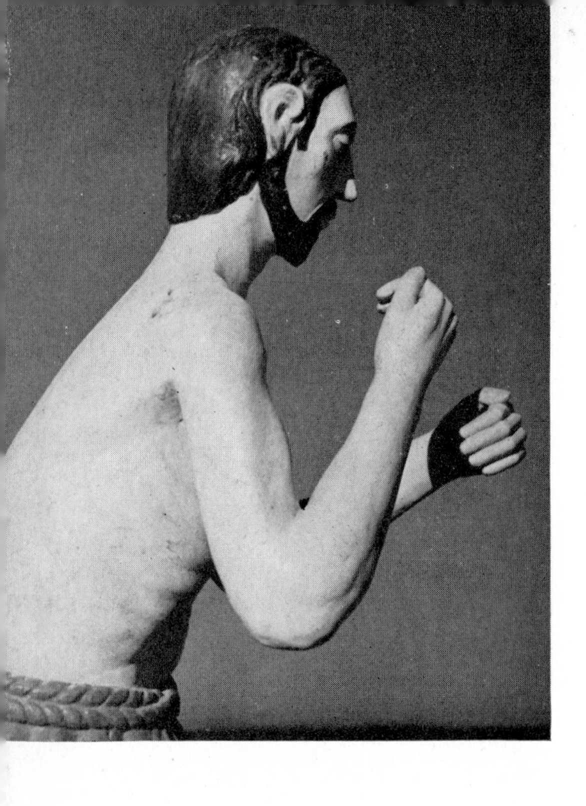

Museum of the Church of São Miguel
Rio Grande do Sul

A few hundred feet away from the ruins of São Miguel, SPHAN has recently built an attractive museum to house the large number of stone and wood carvings found in the church.

The architect of SPHAN'S various restorations and constructions is Lucio Costa, well known for his work in modern architecture.

It is refreshing to find a society of this kind which realizes that only honestly contemporary design is suitable for such a museum. The simple glass-walled building provides a pleasantly non-competitive background for the brilliantly arranged sculpture. One of the finest pieces is the wooden figure of St. Catherine (over 6 feet high) shown at right.

Museu da Igreja de São Miguel
Rio Grande do Sul

A poucas centenas de metros das ruinas de São Miguel, o SPHAN construiu recentemente um encantador museu para abrigar o grande número de entalhes de pedra e madeira oriundos da igreja.

O arquiteto das varias restaurações e construções feitas pelo SPHAN é o engenheiro Lucio Costa, muito conhecido pelos seus trabalhos de arquitetura moderna.

E' consolador encontrar-se uma instituição dessa especie que compreende que só um plano lidimamente moderno fôra adequado a tal museu. A construção, de simples paredes de vidro, proporciona um fundo agradavel que não entra em competição com a escultura brilhantemente disposta. Uma das peças mais finas é a imagem de madeira de Santa Catarina (dois metros de altura) que se vê à direita.

Congonhas do Campo
State of Minas Gerais

The hill town of Congonhas do Campo is dominated by the great pilgrimage church of Bom Jesus de Matosinhos. From the terrace of the church one looks over twenty miles or more of the surrounding country-side. Below the terrace, six small chapels (lower right) are formally arranged in beautifully tended sloping gardens, reminiscent of the great 18th century religious gardens at Braga in northern Portugal (photograph above).

The church is shown on the next pages.

Congonhas do Campo
Estado de Minas Gerais

A cidade de Congonhas do Campo, ao alto de uma colina, é dominada pela grande igreja de Bom Jesus de Matosinhos. Do terraço da igreja estende-se uma vista de quasi quarenta quilômetros pelos arredores. Sob o terraço, vêem-se seis pequenas capelas (à direita, em baixo) localizadas nos differentes planos da rampa cuidadosamente ajardinada. Reminiscencia dos grandes jardins religiosos de Braga, ao norte de Portugal, datados do seculo XVIII (fotografia acima).

A igreja encontra-se à pagina seguinte.

Nosso Senhor do Bom Jesus de Matosinhos
Congonhas do Campo, Minas Gerais, 1777

This church is famous for its magnificent sculpture by Aleijadinho, a crippled mulatto of Ouro Preto. The doorway, unfinished, is unquestionably his work, as are the twelve prophets on the steps and terrace. These soapstone figures, more than life size, were executed between 1796 and 1805 and are remarkably well preserved.

Aside from its extraordinary sculpture and its fine terraced gardens, the church is similar in design to the other great baroque churches of Minas Gerais.

Nosso Senhor do Bom Jesus de Matosinhos
Congonhas do Campo, Minas Gerais, 1777

Esta igreja é célebre pelas suas magníficas esculturas feitas pelo Aleijadinho, o famoso artista de Ouro Preto. O portal de entrada, não concluido, é indubitavelmente de sua autoria, da mesma forma que os doze profetas nos degraus e no terraço. Essas figuras talhadas em pedra-sabão, de tamanho maior que o natural, foram execudas entre 1796 e 1805.

Além de sua escultura e dos seus terraços belamente ajardinados, esta igreja tem desenho semelhante ao de outros grandes templos barocos de Minas Gerais.

Ouro Preto (Black Gold)
State of Minas Gerais

Gold was discovered in Minas Gerais in the last decade of the 17th century. One direct result was the wealthy town of Ouro Preto (originally Villa Rica), with a population in 1750 of about 200,000. By 1840 the population had dwindled — along with the gold supply — to 25,000. Its 18th century character remains intact. The town is now a national monument, and no new buildings or alterations can be undertaken without the supervision of SPHAN. At left is a view of Ouro Preto drawn by the German artist, Rugendas, about 1835.

The town is surrounded by high mountains. One of these, Itacolomí, provides the rich orange-colored sandstone used for the bases, pilasters and cornices of the ship-like churches which dot the hill-tops.

Although the Ouro Preto churches are not so rich and elaborate as those of Portugal, they are, next to those of Baía, the finest in Brazil. Greatly influenced by the baroque style of the north of Portugal, these churches yet have a strong flavor of their own. Responsible for much of their beauty was Antonio Francisco Lisbôa, known as El Aleijadinho (the cripple). This most famous Brazilian sculptor was born in Ouro Preto in 1730 and lived about 84 years.

Ouro Preto
Estado de Minas Gerais

O ouro foi descoberto em Minas Gerais, na última década do século XVII. Ouro Preto, originariamente Villa Rica, surgiu como consequencia disso. Em 1750, contava cerca de duzentos mil habitantes. A' medida que o ouro desaparecia, a cidade foi decaindo. Assim, em 1840, estava reduzida a vinte e cinco mil habitantes. Permanece inalterado o carater oitocentista da cidade, que é atualmente monumento nacional. Nem predios novos nem alterações nos velhos podem ser feitos sem anuencia do SPHAN. A' esquerda, uma vista de Ouro Preto desenhada antes de 1835, pelo artista alemão Rugendas.

A cidade é cercada de montanhas. Uma delas, Itacolomí, fornece a pedra de um alaranjado vivo usada para bases, pilastras e cornijas das igrejas que pontilham o alto das colinas.

Apesar das igrejas de Ouro Preto não serem tão ricas e trabalhadas como as de Portugal, constituem, depois das da Baía, as mais belas do Brasil. Muito influenciadas pelo estilo baroco do norte Portugal, estas igrejas apresentam ainda um cunho forte que lhes é proprio.

O autor de muitos desses belos monumentos é o famoso Antonio Francisco Lisbôa, "O Aleijadinho" que nasceu em Ouro Preto, em 1730 e viveu cerca de 84 anos.

Nossa Senhora do Carmo
Ouro Preto, Minas Gerais
Manuel Francisco Lisbôa, architect, 1766

Typical of the baroque churches of Minas Gerais are the rounded lateral towers, the elaborately voluted pediment, and the diagonally composed facade with its richly carved soapstone doorway, its bull's eye window above, and simpler rectangular windows at either side. Another characteristic feature is the rounding of the cornice over the central bull's eye.

Nossa Senhora do Carmo
Ouro Preto, Minas Gerais
Manuel Francisco Lisbôa, arquiteto, 1766

As torres laterais redondas, o frontão, com suas volutas esmeradamente trabalhadas, a fachada projetada diagonalmente, o portal admiravel talhado na pedra-sabão, o olho-de-boi na parte superior e a janela retangular simples de cada lado são os caraterísticos das igrejas barocas de Minas Gerais.

Outro traço típico é a curvatura da cornija sobre o olho-de-boi central.

Nossa Senhora do Carmo
Mariana, Minas Gerais
Domingos Moreira de Oliveira, architect, 1784

The vocabulary of Minas Gerais baroque was amazingly constant, but the expression was each time different.

Nossa Senhora do Carmo
Mariana, Minas Gerais
Domingos Moreira de Oliveira, arquiteto, 1784

O baroco de Minas Gerais conservou as mesmas denominações com notavel constancia, mas em cada exemplo se apresentou com uma expressão diferente.

Chapel of São José
Ouro Preto, Minas Gerais

The smaller baroque churches of Minas Gerais frequently have a single central tower.

Capela de São José
Ouro Preto, Minas Gerais

As pequenas igrejas barocas de Minas Gerais possuem comumente uma única torre central.

São Francisco de Assis
Ouro Preto, Minas Gerais, 1772–1794

This is generally considered as one of the two most beautiful churches of Minas Gerais. (The other is São Francisco at São João d'El-Rei.) Unlike most churches of the region, it is uniformly successful, inside and out.

The round towers are smoothly connected with the main body of the church and the slightly projecting facade. (The plan is shown in Introduction I.) Substituted for the customary bull's eye window is a soapstone medallion conceded to Aleijadinho. Also attributed to this master sculptor are the carved doorway and, inside the church, the soapstone pulpit shown at left.

São Francisco de Assis
Ouro Preto, Minas Gerais, 1772–1794

Esta igreja é, geralmente, considerada uma das duas mais belas de Minas Gerais. (A outra é a de São Francisco, de São João d'El-Rei.) Ao contrario da maior parte das outras da região, todas as suas linhas são igualmente felizes, tanto no interior como no exterior.

As torres redondas estão harmonicamente ligadas ao corpo principal da igreja e da fachada levemente projetada para a frente. (A planta acha-se reproduzida no prefacio.) Em lugar do costumeiro olho-de-boi, vê-se um medalhão esculpido em pedra-sabão atribuido ao Aleijadinho. Tambem se atribuem ao mesmo escultor a entrada principal de madeira entalhada e, no interior da igreja, o pulpito tambem de pedra-sabão que se vêem à esquerda.

Sixteen fine baroque fountains are preserved in Ouro Preto. This is the Chafariz (fountain) dos Contos, designed in 1745 by João Domingos Veiga.

Existem conservadas, em Ouro Preto, dezeseis belas fontes barocas. Este é o Chafariz dos Contos, desenhado em 1745 por João Domingos Veiga.

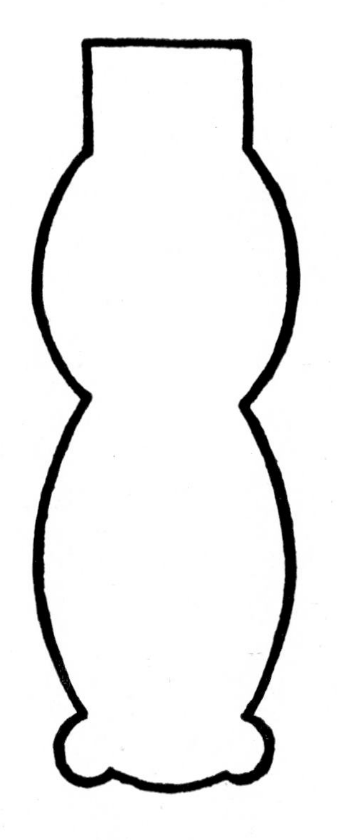

Church of Rosario dos Pretos, Ouro Preto, Minas Gerais
José Pereira Arouca, architect, 1785

Built for the many negroes of Ouro Preto, this church has an unusual double-oval plan (sketched at left) without precedent in Portuguese architecture. The transition between the round towers and the rectangularly composed convex facade is particularly skilful.

→

Nossa Senhora do Rosario dos Pretos, Ouro Preto, Minas Gerais
José Pereira Arouca, arquiteto, 1785

Construida pelos negros de Ouro Preto, esta igreja apresenta uma planta (reproduzida á esquerda) duplamente oval, pouco comum e sem precedentes na arquitetura portuguesa. A transição entre as torres redondas e a fachada convexa projetada retangularmente é de grande gosto artístico.

Santa Ifigenia
Ouro Preto, Minas Gerais
1785

The road winds boldly up the slope between rows of simple tile-roofed houses to the hill-top church of Santa Ifigenia. Like the church of Rosario, it was built for the negroes. Inside is the image of Santa Ifigenia shown at left.

→

Santa Ifigenia
Ouro Preto, Minas Gerais
1785

Entre filas de simples casas cobertas de telha, o caminho coleante escala audazmente a rampa íngreme até a igreja de Santa Ifigenia, no topo da colina. Como a de Nossa Senhora do Rosario, tambem este templo foi construido pelos negros. Na igreja, encontra-se a imagem de Santa Ifigenia que se vê à esquerda.

Penha Convent
near Vitoria, State of Espirito Santo

Convento da Penha
perto de Vitoria, Estado do Espirito Santo

Fort Santa Maria
Salvador, Baía, 1696

The fine harbor of Salvador, discovered in 1501, is guarded by a chain of picturesque old forts. At the time that they were built, Salvador was the capital of Brazil (until 1763) and already the prosperous shipping center for the great negro-worked sugar plantations in the interior.

According to a confusing Brazilian practice, the states and their capital cities often have the same names. Thus Salvador, capital of Baía, is also known as Baía, Recife as Pernambuco, and Belém as Pará.

Forte de Santa Maria
Salvador, Baía, 1696

O excelente porto de Salvador, descoberto em 1501, estava guardado por uma cadeia de velhos e pitorescos fortes. Quando foram construidos, Salvador era a capital do Brasil (até 1763) e importante centro marítimo, por causa dos engenhos de assucar do interior onde trabalhavam milhares de escravos.

De acordo com um hábito frequente no Brasil, muitos Estados tomaram o nome de suas capitais. Assim Baía (Baía do Salvador) designa a cidade e o Estado de que é capital; Pernambuco pode designar tanto o Estado como a sua capital Recife (Recife de Pernambuco).

Forte Montserrat
Salvador, Baía, 1586

Salvador
State of Baía

The first permanent settlement in Baía was made in 1549, when the king of Portugal made Tomé de Sousa the first governor-general of Brazil. With him were sent over about a thousand men, including the first Jesuit missionaries.

Concerned with defense rather than with convenience, Tomé de Sousa placed the new town high up on a cliff overlooking the harbor. Thus the city is sharply divided into two sections, — the lower with its docks, warehouses and office buildings, and the upper with its public buildings, churches and houses.

Salvador
Estado da Baía

O primeiro estabelecimento permanente da Baía foi levantado em 1549, quando o rei de Portugal enviou, como primeiro governador geral do Brasil, Tomé de Sousa, que chegou chefiando um grupo de cerca de mil homens e os primeiros jesuitas.

Pelas facilidades de defesa, a nova povoação foi localizada no alto de uma penedia, frente ao porto. Desde então, a Baía ficou dividida bruscamente em duas seções, a cidade baixa com cais, armazens, instalações portuarias, e a cidade alta com os edificios públicos, igrejas e parte residencial.

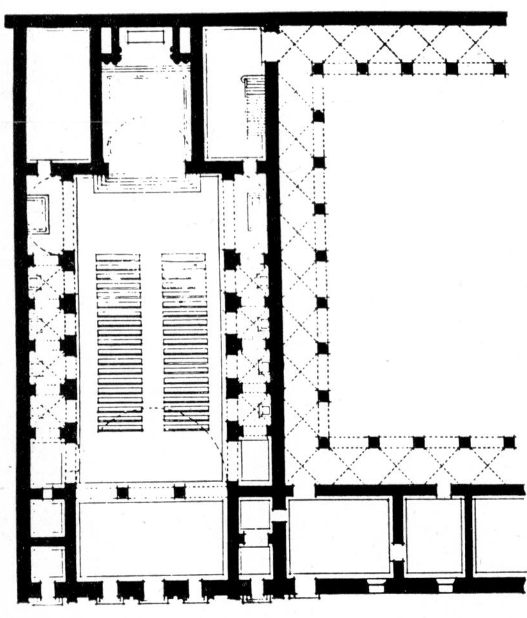

São Francisco de Assis

Salvador has a superb trio of religious buildings — the Church of São Francisco de Assis (next page), with the Franciscan monastery at its right (see plan) and the Church of the Third Order at its left.

The monastery was built in 1710. Both stories of the cloister shown above are surrounded by a high dado of Portuguese tiles, some with classic, some with Biblical scenes. The blue and white tiles are set flush with the plaster above. Cool, easy to clean, discouraging to insects, they are well suited to the tropical climate of Baía.

At right is the elaborately carved stone facade of the Church of the Third Order of São Francisco. Built in 1703, it is an almost unique Brazilian example of the Spanish *churrigueresque* style which was so brilliantly developed in Mexico.

A cidade do Salvador possue um trio de edificios religiosos — a igreja de São Francisco (à página seguinte), tendo à direita o mosteiro franciscano (veja-se a planta) e a igreja da Ordem Terceira, à sua esquerda.

O mosteiro foi construido em 1710. Ambos os pavimentos do claustro, que se vê acima, são circundados por continuos paineis de azulejos portugueses, parte de motivos clássicos e parte de motivos bíblicos. Os azulejos acham-se nivelados com o reboco. Fresco, facil de limpar, o ambiente é pouco propicio aos insetos e bem adequado ao clima tropical da Baía.

À direita, vê-se a fachada trabalhadíssima de pedra talhada da igreja da Ordem Terceira de São Francisco. Construida em 1703, é quasi o único exemplo brasileiro de estilo *churrigueresco* que tão brilhantemente se desenvolveu no México.

Church of São Francisco de Assis
Salvador, Baía. 1710

Outside, the church is sober and dignified, its ornament subordinated to the rhythmic pattern of wall and window. In sharp contrast is the interior, supreme Brazilian example of the fully developed gilt baroque style.

Every square inch seems covered with flat or burnished gold, varied only with an occasional surface of blue and white tile. The effect of a ray of sunlight is almost blinding. All feeling of structure is dissolved by the intricate golden ornament as it ripples indifferently over walls and ceiling.

Igreja de São Francisco de Assis
Salvador, Baía. 1710

No exterior, a igreja é magestosa e seria, a ornamentação subordinada ao rítmico conjunto de paredes e janelas.

O interior apresenta um brusco contraste, supremo exemplo brasileiro do estilo baroco o mais completamente desenvolvido, todo chapeado a ouro. O efeito de um raio de sol é aí quasi ofuscante. Qualquer impressão da estrutura está dissolvida pela intrincada decoração atravessando indiferentemente as paredes e o teto. O azulejo branco e azul do altar dá um relevo interessante.

Parish church of Pilar
Salvador, Baía
late 18th century

With its unusual front and its delicate detail, Pilar has one of the loveliest exteriors of any church in Brazil. An old columbarium, now fallen into ruin, overlooks the entrance at the right.

Matriz de Nossa Senhora do Pilar
Salvador, Baía
fim do século XVIII

A sua frente pouco comum e a delicadeza de pormenores dão à matriz de Nossa Senhora do Pilar um dos mais belos exteriores de igrejas do Brasil. Vê-se uma velha necropole em ruinas, à direita da entrada.

Church and Convent
Paraguassú, Baía
18th century

Only a noble building could leave such magnificent ruins.

Igreja e convento
Paraguassú, Baía
século XVIII

Sómente um edificio amplo e magestoso poderia apresentar tão magnificentes ruinas.

Colonial Church
Guia, State of Paraíba

The twisted Salomonic columns and rope-window seem to be a rare offshoot from Portugal's Thomar style, while the coarse, naturalistic carving of vegetable forms may be a belated derivation from the Manueline, although considerably more robust, less sophisticated.

Igreja colonial
Guia, Estado da Paraíba

As colunas salomônicas torcidas e as janelas lembram o estilo de Tomar, Portugal. A talha naturalista de formas vegetais, embora tosca, talvez seja uma tardía derivação do Manuelino, embora consideravelmente mais robusta e menos rebuscada.

Recife, Pernambuco (founded in 1548)

Recife, Pernambuco (fundada em 1548)

Jaqueira Chapel
Ponte do Uchôa, Recife, Pernambuco
about 1794

A private chapel — very good, very small — on a large estate which is soon to be cut up into building lots. Inside is a fine dado of purple and yellow Portugese tile in perfect preservation.

Capela Jaqueira
Ponte do Uchôa, Recife, Pernambuco
1794, aproximadamente

Uma capela particular, bonita e pequenina, dentro de uma grande propriedade a ser logo dividida em lotes para construções. O interior é guarnecido por uma barra de azulejos portugueses, de côr amarela e purpurina, em perfeito estado de conservação.

Church of São Francisco
Recife, Pernambuco
18th century

The dado of old Portuguese tiles is set flush with the plastered walls.

Igreja de São Francisco
Recife, Pernambuco
Século XVIII

Eis uma guarnição de lindos velhos azulejos portugueses colocados ao nivel do reboco da parede.

Church of São Pedro dos Clérigos
Recife, Pernambuco
Manuel Ferreira Jacomé and Nazzoni, architects
1729

Inside and out, this church shows the belated influence of the style of Louis XIII. Its narrow facade towers above the low buildings of the square.

Igreja de São Pedro dos Clérigos
Recife, Pernambuco
Manuel Ferreira Jacomé e Nazzoni, arquitetos
1729

No interior e por fora, esta igreja denuncia a influencia tardia do estilo Luis XIII. A fachada estreita com as torres destaca-se sobre a edificação baixa da praça.

House of Senhora Donna Elvira Gonçalves de Moraes
Avenida Rui Barbosa, 1596, Recife, Pernambuco, about 1850

The influence of Louis Vauthier, architect of Recife's Teatro Santa Izabel (see page 23) is apparent in this elegant *solar*. The tile walls surmounted by glazed pottery urns recall the famous rococo Palacio do Mexicano at Braga in Portugal.

Casa da sra. d. Elvira Gonçalves de Moraes
Avenida Rui Barbosa, 1596, Recife, Pernambuco

A influencia de Luis Vauthier, arquiteto do Teatro Santa Isabel, de Recife (veja-se a página 23), evidencia-se neste elegante solar. As paredes de azulejo encimadas por urnas vidradas fazem lembrar o famoso palacio rococó "do Mexicano," de Braga, em Portugal.

Sugar Mill, Recife, Pernambuco

Folk architecture usually answers the elementary demands of use, site, climate and materials more directly than buildings of greater architectural pretension. With its pleasant horizontality, its sensible window-grills and pierced walls, this 19th century mill achieves an effortless distinction.

Engenho de assucar, Recife, Pernambuco

A arquitetura popular procura generalmente satisfazer de modo mais direto as necessidades elementares do local, do clima e dos fins a que se destina a construção do que as pretensões arquitetônicas. Com a sua agradavel horizontalidade, janelas gradeadas e respiradouros nas paredes, este engenho do século XIX ostenta uma natural distinção.

Church of São Bento
Olinda, Pernambuco
third quarter 18th century

Olinda, Pernambuco
Igreja de São Bento
terceiro quartel do século XVIII

Mud-walled, palm-thatched fishermen's huts on the Pernambucan coast near Olinda.

Palhoças de pescadores cobertas de palmeira, nas costas de Pernambuco, perto de Olinda.

One of the best-preserved of the early Brazilian houses is this late 17th century house at Olinda with its bracketed, latticed balcony, its weighty doors and its pink stucco walls.

Uma das velhas casas brasileiras mais bem conservadas é este edificio de Olinda, do fim do século XVII, com o seu balcão gradeado, em forma de mísula, suas portas pesadas e paredes caiadas, cor de rosa.

Half-way up the hill on which the old town of Olinda is built, the church of São Francisco faces a massive cross.

A meio caminho da colina sobre a qual a velha cidade de Olinda foi construida, acha-se a igreja de São Francisco. Em frente a ela está este macisso cruzeiro.

PRAÇA

Church of Santo Alexandre
Belém, Pará
early 18th century

Church and convent form an agreeable mass on one of the attractive squares of Belém. Squat towers and big volutes crown a facade remarkable for its naive large scale ornament. The effect is not unpleasing and suggests an inexperienced designer, amateur of Portuguese precedent.

Igreja de Santo Alexandre
Belém, Pará
começo do século XVIII

A igreja e o convento formam um conjunto agradavel decorando uma interessante praça de Belém. As torres acachapadas e grandes volutas completam uma fachada que se destaca pelos ingenuos ornamentos de grandes proporções. O efeito não é desagradavel e faz pensar num desenhista pouco prático, com influencia portuguesa.

College of Nazareth
Belém, Pará
1789

An early and distinguished *solar* now used — respectfully — as a school building.

Colegio de Nazaré
Belém, Pará
1789

Um velho e magestoso solar no qual, presentemente, se acha instalado um estabelecimento de ensino.

Teatro da Paz
Belém, Pará

Larger and less refined than the Santa Izabel Theater at Recife, this rose and yellow building is embellished with attenuated columns and rather too pretty sculpture.

Teatro da Paz
Belém, Pará

Maior mas de menos requinte do que o Teatro Santa Izabel, de Recife, este edificio de côr rosa e amarela é embelezado por suas colunas esguias e esculturas um pouco carregadas.

INTRODUCTION II

Even before the advent of the Vargas government in 1930 there were Brazilian experiments in modern architecture. From modest beginnings, the movement, happening to coincide with a building boom, spread like brushfire. Almost over-night it has changed the faces of the great cities, Rio and São Paulo, where it has had its most enthusiastic reception.

France had always bulked large in Brazilian culture—in education, in literature, in the arts—and the revolutionary ideas of the great Swiss-French architect, LeCorbusier, proved particularly sympathetic to young Brazilian architects. LeCorbusier's theories have been interpreted with special brilliance in the Ministry of Education and in the work at Belo Horizonte.

Through foreign travel and study, and especially through publications, Brazil became increasingly aware of the achievements of modern architecture abroad, not in France alone, but in Germany and in Italy. The plain exteriors and efficient planning of Salvador's Normal School are German-inspired, while São Paulo's new buildings often show the influence of Italy's heavier, more pretentious modern style. A number of the architects were foreign born and trained, and came to Brazil already equipped with the new aesthetic.

From the United States little came in the way of theory of design, but many practical devices: the bathrooms and the lighting ideas, the skyscrapers and the elevators which made the skyscrapers feasible. And it was the skyscraper which changed the appearance of São Paulo's and Rio's "Centros" and quadrupled the height of the walls circling the Rio bays.

While the first impetus came from abroad, Brazil soon went ahead on her own. Her great original contribution to modern architecture is the control of heat and glare on glass surfaces

INTRODUCAO II

Muito antes do advento do governo Vargas, em 1930, apareceram no Brasil os primeiros ensaios de arquitetura moderna. De inicio modesto, coincidindo o movimento com uma verdadeira febre de construções, generalizou-se rapidamente. Quasi que da noite para o dia, mudaram-se as feições de grandes cidades como Rio e São Paulo, onde a novidade tivera o acolhimento mais entusiástico.

A França influiu sempre grandemente na cultura brasileira, já no campo da educação, já no da literatura, já no da ciencia e das artes. As ideias revolucionarias do grande arquiteto suisso-francês Le Corbusier foram recebidas com simpatia especial pelos jovens arquitetos brasileiros. E seus ensinamentos se puzeram em prática com brilho particular no Ministerio da Educação e outras obras em Belo Horizonte.

Por meio de viagens ao estrangeiro e especialmente pelas publicações especializadas, o Brasil familiarizou-se logo com todas as minucias da arquitetura moderna da Europa, não apenas a da França, mas ainda a da Alemanha e a da Italia. Os exteriores muito simples do projeto da Escola Normal da cidade da Baía, por exemplo, são de inspiração germânica, ao passo que muitos edificios de São Paulo traem a influencia italiana de um moderno mais pesado e mais pretencioso. Certo número de arquitetos são mesmo de origem estrangeira, tendo vindo para o Brasil já formados, prontos a aplicar ideias e principios de traziam.

Dos Estados Unidos, muito pouco de teoria arquitetônica foi aproveitado. Em compensação, muito da prática se adoptou, como instalações de banheiros, de iluminação moderna, o arranha-ceu, os elevadores que o tornaram possivel. E foram justamente os arranha-ceus que mudaram a fisionomia do centro do Rio e de São Paulo e ainda das praias cariocas onde se

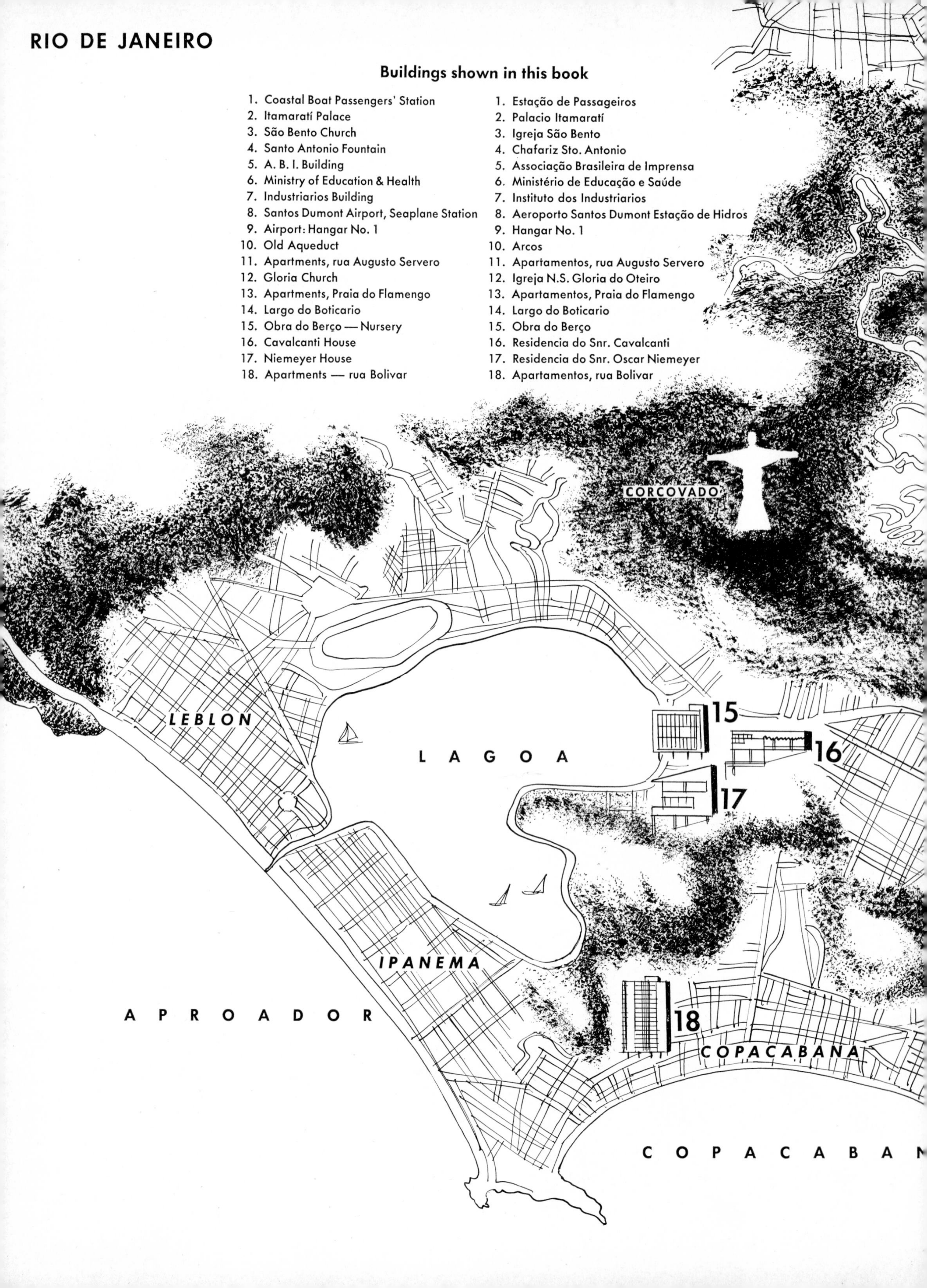
RIO DE JANEIRO
Buildings shown in this book
1. Coastal Boat Passengers' Station
2. Itamaratí Palace
3. São Bento Church
4. Santo Antonio Fountain
5. A. B. I. Building
6. Ministry of Education & Health
7. Industriarios Building
8. Santos Dumont Airport, Seaplane Station
9. Airport: Hangar No. 1
10. Old Aqueduct
11. Apartments, rua Augusto Servero
12. Gloria Church
13. Apartments, Praia do Flamengo
14. Largo do Boticario
15. Obra do Berço — Nursery
16. Cavalcanti House
17. Niemeyer House
18. Apartments — rua Bolivar
1. Estação de Passageiros
2. Palacio Itamaratí
3. Igreja São Bento
4. Chafariz Sto. Antonio
5. Associação Brasileira de Imprensa
6. Ministério de Educação e Saúde
7. Instituto dos Industriarios
8. Aeroporto Santos Dumont Estação de Hidros
9. Hangar No. 1
10. Arcos
11. Apartamentos, rua Augusto Servero
12. Igreja N.S. Gloria do Oteiro
13. Apartamentos, Praia do Flamengo
14. Largo do Boticario
15. Obra do Berço
16. Residencia do Snr. Cavalcanti
17. Residencia do Snr. Oscar Niemeyer
18. Apartamentos, rua Bolivar
CORCOVADO
LEBLON
LAGOA
15
16
17
IPANEMA
APROADOR
18
COPACABANA
COPACABAN

1
DOCKS
AVENIDA PRESIDENTE VARGAS
2
3
LAPA
4
10
5
6
11
7
8
9
14
ARANGEIRAS
GLORIA
12
CATTETE
13
FLAMENGO
TAFOGO
GUANABARA BAY
BOTAFOGO
N
S
SUGAR LOAF
LEME

by means of external blinds. North America has blandly ignored the entire question. Faced with summer's fierce western sun, the average office building is like a hot-house, its double-hung windows half closed and unprotected. The miserable office workers either roast or hide behind airless awnings or depend on the feeble protection of Venetian blinds, — feeble because they do nothing to keep the sun from heating the glass. It was curiosity to see how the Brazilians had handled this very important problem that really instigated our expedition.

As early as 1933, LeCorbusier had used movable outside sunshades in his unexecuted project for Barcelona, but it was the Brazilians who first put theory into practice. As developed by

elevou para quatro ou mais vezes a altura dos edificios que as circundam.

Embora os primeiros ímpetos modernos tenham chegado por importação, bem logo o Brasil achou um caminho proprio. A sua grande contribuição para a arquitetura nova está nas inovações destinadas a evitar o calor e os reflexos luminosos em superficies de vidro, por meio de quebra-luzes externos, especiais. Para a América do Norte isso é coisa de leve conhecida. Tendo que receber de chapa o rude sol das tardes de verão, os grandes edificios, em geral, ficam como um forno, dada a proteção insuficiente de suas janelas de folhas semi-cerradas. As oficinas modestas então têm que escolher uma dentre duas alternativas: ou assar-se

Northwest facade of the Ministry of Education

Fachada noroeste do Ministerio de Educação

A crank moves the sunshades of the Ministry of Education.

Um mecanismo move os quebra-luzes do Ministerio da Educação

the modern architects of Brazil, these external blinds are sometimes horizontal, sometimes vertical, sometimes movable, sometimes fixed. They are called *quebra sol* in Portuguese, but the French term *brise-soleil* is more generally used.

In no case has the sunshade more successfully been integrated with the architecture than in the Ministry of Education and Health. The cool south side exposes its wall of double-hung sash without protection. On the north, however (remember that in Brazil the sun comes from the north), the floors, reduced to thin concrete slabs, are cantilevered out about four feet beyond the window face. Similar vertical slabs, also spaced four feet apart, divide the facade into a gigantic egg-crate of rectangular shapes. The upper part of each rectangle contains three horizontal louvers of asbestos in steel frames, — all three

ou proteger-se escassamente por meio de toldos ou venezianas, proteção fraca porque nada podem contra os reflexos do sol nas vidraças. E é curioso verificar-se como os brasileiros fizeram face ao importantíssimo problema, cujo estudo foi o que animou a nossa viagem.

Já, em 1933, Le Corbusier recomendava o uso de quebra-luzes moveis, externos em seu projeto inexecutado para Barcelona, mas foi no Brasil onde, primeiro, essa teoria se poz em prática.

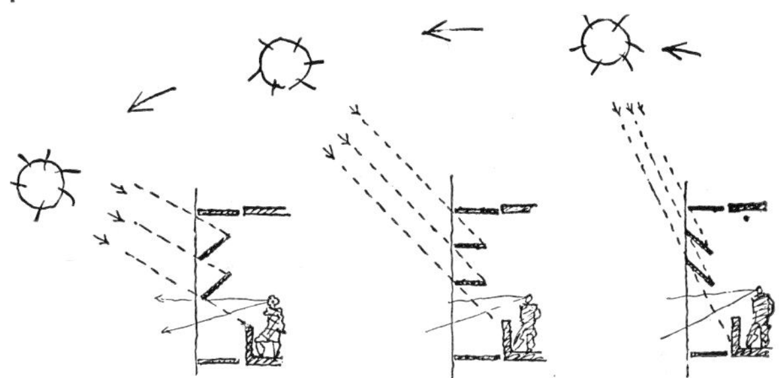

How the Ministry of Education's sunblind system works

Como funciona o sistema de quebra-luzes do Ministerio de Educação

Tais como os arquitetos do Brasil os desenvolveram, esses para-sois externos são às vezes horizontais, às vezes verticais, às vezes moveis, às vezes fixos. Quebra-sol é o nome que se lhes dá, mas a expressão francesa *brise-soleil* é mais geralmente usada.

Em nenhum caso, tais engenhos foram integrados de modo mais feliz na arquitetura do que no edificio do Ministerio de Educação e Saude Pública, do Rio de Janeiro. O lado sul, mais fresco por menos exposto acha-se isento de proteção. Do lado norte, porém, (é preciso não esquecer que o sol, no Brasil, vem do norte), os pavimentos de espessas lages de concreto estendem-se exteriormente até cerca de metro e meio da frente da janela.

Semelhantes saliencias verticais, separadas por pouco mais de um metro uma de outra, riscam a fachada, dando-lhe feição de um gigantesco engradado retangular. A parte superior de cada faixa vertical mostra tres anteparos

Niemeyer's Day Nursery in Rio has vertical asbestos blinds

A Obra do Berço, de Niemeyer, no Rio, é dotada de parasois verticais, de amianto

regulated by a crank inside the building. The blue-painted louvers can be turned with the movement of the sun, admitting plenty of air yet keeping out all direct sunlight and reducing the glare to the most desirable amount of reflected light. As the small blue planes are moved to various angles in different parts of the building, there is a charming variety of light and shade. A simpler example of the horizontal blind is found in Corrêa Lima's Coastal Boat Passenger Station in Rio.

At the Pampulha Yacht Club in Belo Horizonte Niemeyer has repeated the vertical, adjustable type of sunshade first used by him at the Obra do Berço in Rio. There a bank of tall louvers, some six feet high by one wide, can be worked by one of the nuns with no more trouble than it takes to turn a door handle.

horizontais de amianto, os tres regulados por uma só manivela, ao lado da parede. Esses anteparos, pintados de azul, podem mover-se de acordo com o sol, permitindo porém bastante entrada de ar, ao mesmo tempo que quebram toda luz direta e qualquer reflexo, sem prejuizo da iluminação. Cada um desses pequenos planos azues desloca-se em diversos ângulos nas diferentes partes do predio, favorecendo assim uma agradavel variedade de luz e sombra. Um exemplo simples desses para-sois pode-se ver no plano Corrêa Lima, para uma estação de barcas do Rio.

No Yacht Club Pampulha, de Belo Horizonte, Niemeyer repetiu a vertical, tipo ajustavel de quebra-luz por êle usado pela primeira vez na Obra do Berço, na capital federal. Trata-se de um conjunto de altos anteparos, de cerca de um metro e oitenta de altura, por trinta centímetros de largo, que póde ser facilmente manejado por uma pessoa sem esforço maior do que o exigido para um trinco de porta.

Simple mechanism which adjusts the blinds of the Day Nursery

O mecanismo simples que regula os parasois da Obra do Berço

Os irmãos Roberto adotaram tipo diferente no predio da Associação Brasileira de Imprensa. Os dois lados do edificio expostos ao sol são guarnecidos de filas de lages diagonais fixas, de oitenta centímetros de profundidade, dois

The A. B. I. has fixed concrete blinds

A A.B.I. está dotada de quebra-luzes fixos

centímetros de espessura, abrindo-se numa passagem estreita e continua. Algumas das salas possuem vidraça no lado interior desse passadiço, outras são simplesmente abertas.

Muitas dessas venezianas modernas tiveram sua origem no Rio de Janeiro embora se disseminassem por grande parte do paiz. Ha outros tipos simples de quebra-luz exterior mais populares, como as rótulas coloniais usadas com felicidade no novo hotel de Ouro Preto, isto é, grades fixas de madeira ou cimento, formando protecção saliente ou não contra o sol.

As construções no Brasil são feitas sem necessidade de qualquer especie de cautela relacionada com movimentos sísmicos, preocupação frequente em muitas outras partes da América do Sul. Todos os seus grandes edificios modernos são de cimento armado. Os intervalos da armação se tapam com chapas ou blocos de concreto, raramente com tijolo. No projeto escolar de Rino Levi, para São Paulo, a estrutura é apenas cheia de uma leve grade de cimento, ao passo que a torre dagua de Olinda possue paredes de *cambogé,* blocos de concreto perfurado a cada meio metro quadrado. Os predios baixos não poucas vezes são de paredes de pedra tosca mas, seja a construção qual for, a parte de fóra ou é rebocada ou revestida de lages de pedra.

O cimento usado no Rio provem de uma importante fábrica moderna ao lado de Niteroi, agora a braços com serias dificuldades oriundas da falta de olio mineral para os seus fornos. As barras reforçadas de ferro são feitas no Brasil,

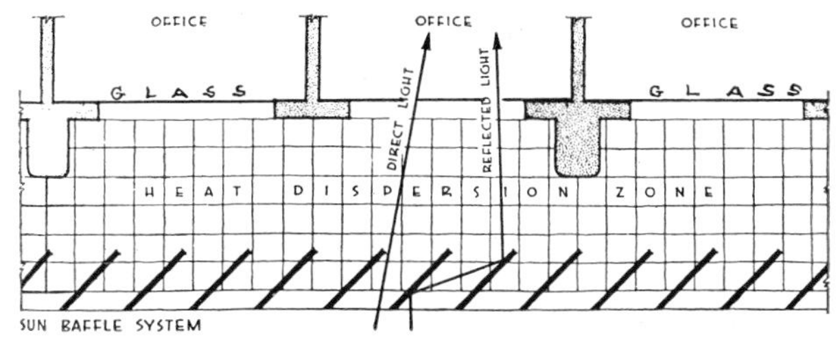

Detailed drawing of the A.B.I. *brise-soleil*

Desenho pormenorizado dos quebra-luzes da A.B.I.

The brothers Roberto have used a very different kind of vertical blind on the A. B. I. building. The two hot sides of the building are faced with rows of diagonally fixed concrete slabs, each thirty-two inches deep and two and three-quarters inches thick, opening on a narrow continuous passage. Some of the rooms have glass on the inner side of the passage; others are left open.

Vital Brazil Institute, Niteroi, has tiny anti-glare corridor windows and a concrete grill to shade its staircase

Instituto Vital Brazil, Niteroi, com suas pequenas janelas para evitar-se o reflexo solar e a grade de concreto para dar sombra à escadaria

Most of the elaborate sunshade devices are found in Rio, although they would be a great blessing to other parts of the country. Simpler types of outside sunbreak are also popular: the colonial *rotulas* or lattice effectively used in the new hotel at Ouro Preto, fixed grills of wood or cement, projecting awning-type blinds, and Venetian blinds of various kinds.

Construction in Brazil is uncomplicated by

The *brise-soleil* of the Brazilian Pavilion, N. Y. World's Fair, 1939

Os quebra-luzes do Pavilhão Brasileiro na Feira de Nova York

mas a produção do aço para as estruturas é ainda muito escassa, embora esteja em construção uma grande laminadora. As montanhas de Minas Gerais podem fornecer mineral de ferro finíssimo, emba faltem ainda meios de transporte barato até o mar.

Ouro Preto's modern hotel has latticed balconies

O novo hotel de Ouro Preto com os seus balcões gradeados

Push-out, roll-up wooden blinds in metal frames shade de Brito's Anatomical Laboratory in Recife

Persianas de madeira, moveis, armadas em estrutura metálica, do Laboratorio de Anatomia de Recife

fear of earthquakes, although they rock many other parts of South America. All of the larger modern buildings are of reinforced concrete. In skeleton construction, the fill between supporting members is of building tile or concrete blocks, rarely of brick. At Rino Levi's new school in São Paulo, the concrete frame is filled in merely with a light cement grill, while the Olinda water tower has screen walls of *cambogé,* pierced concrete blocks half a meter square. The lower buildings often have rubble walls, but whatever the construction, the outside is either plastered with stucco or veneered with stone slabs.

Apartment house with Venetian blinds and cement lattice

Casa de apartamento com venezianas e grade de cimento

Salientámos já, ao falar da velha arquitetura, a escassez do uso de madeira neste paiz onde existem abundantemente as mais variadas e finas essencias. O mármore e nacional ou estrangeiro. Este origina-se em geral de Portugal ou da Italia, e uma especie de travertino da Argentina foi usado no edificio da A.B.I. e no hidroporto do Rio. O granito nacional reveste algumas paredes e colunas do Ministerio da Educação.

Office building in São Paulo by Ramos de Azevedo. Almost anything can be done with reinforced concrete

Um edificio de escritorios em São Paulo, projeto de Ramos de Azevedo. Quasi tudo pode ser feito com cimento armado

É roseo-cinzento, um pouco parecido com o granito de Westerly. Uma montanha perto de Ouro Preto fornece essa encantadora rocha Itacolomí que vai da côr de castanha ao alaranjado, quasi como o Briar Hill norte-americano, usada desde o principio do século XVIII nas igrejas e palacios de de Minas Gerais, e agora, recentíssimamente, no novo hotel de Ouro Preto.

A arquitetura moderna do Brasil deve muito

Cement is made in a huge modern plant near Niteroi, the kilns relying on imported fuel now difficult to come by. Reinforcing rods are made in Brazil, but very little structural steel, although a large mill is now under construction for this purpose. The mountains of Minas Gerais hold the finest grade of iron ore with no economical way of transporting it down to the sea.

It has already been pointed out in the section on old architecture that wood is rarely used for building, although the land bristles with suitable lumber.

Marble often comes from Italy or Portugal. A sort of travertine from Argentina is used on the A. B. I. and the seaplane station at Rio. Native granite sheathes some walls and columns of the Ministry of Education; — it is a pinkish gray not unlike Westerly granite. A mountain near Ouro Preto supplies the lovely Itacolomí sandstone ranging from brown to orange — almost our own Briar Hill — used since the early 18th century in Minas Gerais churches and palaces and now again in the new hotel at Ouro Preto.

Modern architecture in Brazil owes much of its special flavor to the imaginative use of decorated glazed tiles. The architects of the Ministry of Education have covered a wall forty feet wide and twenty feet high with a field of innumerable shells, mermaids, and sea horses enveloped in one grand loop of dark blue. Candido Portinari, Brazil's famous painter, designed the tiles, Paulo Rossi (Osir) painted them and the great firm of Matarazzo in São Paulo baked them. Vitreous blue tile covers the superstructures of the same building. Unfortunately the occasional use of ornamental tile is not always so happy. A big, free use of large pattern for contemporary work is yet to be seen. The one obvious criticism of the new Pampulha buildings is the weakness of color, smallness of design and antique look of the tiles, so unrelated to the buildings they cover.

Plumbing fixtures are made in Brazil but hard-

do seu cunho particular ao uso imaginoso de azulejos. Os arquitetos do Ministerio de Educação forraram um vestíbulo inteiro de doze metros de largura por seis de altura de azulejos com motivos marinhos, como conchas, sereias, hipocampos, tudo envolvido num grande laço azul escuro. Candido Portinari os desenhou, Paulo Rossi Osir os coloriu e a firma Matarazzo de São Paulo os cozeu. Azulejos azues cobrem mais as super-estruturas do mesmo edificio. Infelizmente, o emprego acidental do azulejo decorativo nem sempre dá certo. Um uso largo de desenho amplo para trabalhos modernos está para ser visto. A única crítica que se pode fazer do novo edificio de Pampulha é a pobreza da côr, a pequenez do desenho e a aparencia antiga dos azulejos, tão em desacordo com a obra que decoram.

A grande parte de tudo quanto seja encanamento é feita no Brasil, exceto a maioria dos lustres e elevadores importados dos Estados Unidos. Traço curioso dos elevadores é a finura dos seus cabos. Fazem lembrar os ascensores de 1914 das casas de apartamentos de Paris que, como aranhas, subiam por dois esguios cabos. No Rio e em São Paulo, as casas de apartamentos, em geral, possuem elevadores automáticos.

E' muito deficil precisar o custo de uma construção. A grande biblioteca do Departamento de Cultura de São Paulo ficará em dez mil contos mais ou menos. A mesma coisa em relação ao menor mas elegante cassino de Pampulha. Partindo destes elementos, pode-se afirmar que as construções no Brasil custam metade das dos Estados Unidos. Mas, tendo-se em vista a diferença cambial e o custo da mão de obra, os resultados têm que se modificar, não podendo prevalecer a comparação.

Alguns dados sobre a organização politico-administrativa do Brasil, desde 1937, poderão explicar como os grandes edificios públicos

ware, lighting fixtures and elevators are often imported from the U. S. A. Brazilian elevators are notable for the smallness of their cabs. They seem to be descended from sedan chairs or the elevators of 1914, which climbed up like spiders on two cables in the stair-wells of Parisian apartment houses. In São Paulo and Rio apartments the convenient automatic lift is in general use.

It is difficult to be accurate on costs; $500,000 was given for the tall municipal library in São Paulo as well as the elegant but smaller Casino Pampulha. If the figure is true for the former, Brazilian building costs are about half those of the United States, but rates of exchange and labor costs make comparison unsatisfactory .

Some idea of the organization of Brazilian government since 1937 will show how important public building work is now initiated and carried out. President Getulio Vargas appoints the Interventors or Governors of the twenty states, who, in their turn, appoint and control the Prefects or Mayors of each city. In the new city of Belo Horizonte, capital of the important State of Minas Gerais, the Interventor and the Prefect are working together on a recreation center at Pampulha with lake, casino, club and restaurant, a fine road thereto connecting with the airport, and a new theater for 3,500 people.

One product of the realization by the people and government of Brazil of the size and importance of their country — forty million inhabitants, but third in area in the world — is the construction of impressive new buildings to house the departments for all the complicated public services. War, Finance, Education are already built. The work is usually given to architects on a competitive basis; a new building for the Ministry of Foreign Affairs was opened to competition in 1942 and won by H. E. Mindlin of São Paulo.

In 1936 LeCorbusier was invited to visit Rio as a consultant by the group of architects ap-

podem hoje ser iniciados e continuados. O chefe do governo nomeia os interventores ou governadores dos vinte Estados que, por sua vez, indicam e e mantêm sob sua jurisdição os prefeitos de cada cidade. Em Belo Horizonte, capital do importante Estado de Minas Gerais, o interventor e o prefeito colaboraram juntos para criar um centro de diversões em Pampulha, com lago, cassino, restaurante, tudo ligado por uma boa estrada que leva ao aeroporto e ao novo teatro com capacidade para tres mil e quinhentas pessoas.

Uma prova da importancia que tanto o povo como o governo dão ao seu paiz — com quarenta milhões de habitantes mas o terceiro em grandeza territorial no mundo — é a construção de impressionantes edificios novos para séde dos serviços públicos. Os ministerios de Guerra, da Fazenda e da Educação foram logo construidos. Em geral, as obras se contratam com os arquitetos, por concorrencia pública. Um novo edificio para o Ministerio do Exterior entrou em concorrencia pública, em 1942, ganha pelo arquiteto H. E. Mindlin, de São Paulo.

Em 1936, Le Corbusier foi convidado a ir ao Rio, a convite de um grupo de arquitetos encarregados da construção do Ministerio de Educação e Saude Pública. Nele a sua influencia reflete-se acentuadamente, o mais importante porém é que aí se manifestam livres a imaginação do desenho e a condenação do velha trilha oficial. Enquanto o clássico dos edificios federais de Washington, o arqueológico da Academia Real de Londres e o clássico nazista de Munich dominam triunfantes, o Brasil teve a coragem de quebrar a rotina e tomar um rumo novo dando como resultado poder o Rio orgulhar-se de possuir os mais belos edificios públicos do continente americano.

A esbelta massa do Ministerio da Educação fica fronteira ao novo Ministerio da Fazenda. Esta construção enorme, coroada de uma co-

pointed to design the new Ministry of Education and Health. This building shows his influence strongly, but, what is more important, it has set free the spirit of creative design and put a depth charge under the antiquated routine of governmental thought. While Federal classic in Washington, Royal Academy archaeology in London and Nazi classic in Munich are still triumphant, Brazil has had the courage to break away from

lossal cornija erguida por consolas aflautadas, parece um desafio para um duelo de contrastes. E o curioso é que esse mesmo Ministerio da Fazenda, no Rio, tão ciumento do seu conservadorismo agressivo, se mostrasse pronto a imitar o rival de frente adotando no Recife uma versão modificada do Ministerio da Educação, na capital do paiz. Contradições curiosas que se vêm em toda parte.

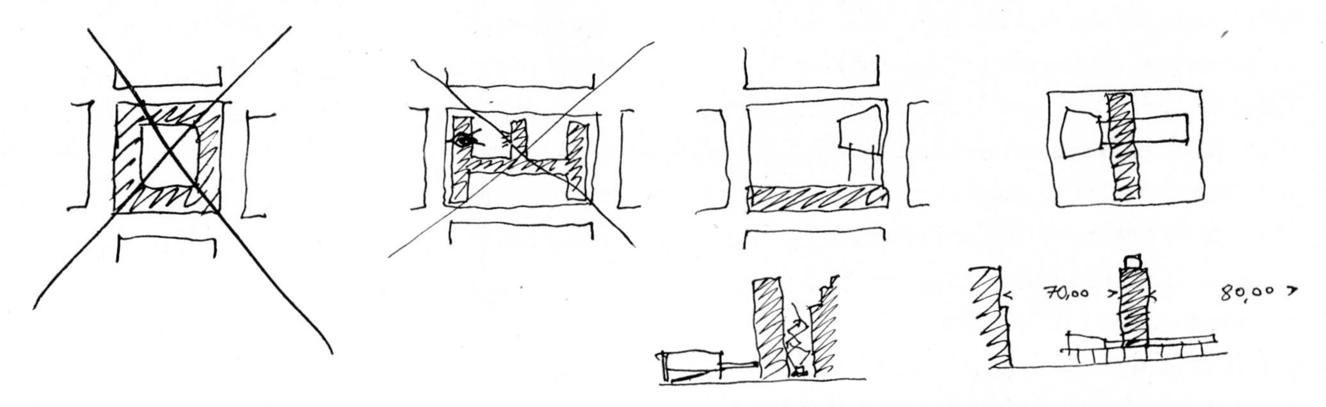

Various schemes for the Ministry of Education. At far right is the one finally adopted

Varios esquemas para o Ministerio de Educação. À extrema direita, vê-se o que foi finalmente adoptado

the safe and easy path with the result that Rio can boast of the most beautiful government building in the Western hemisphere.

The slim bulk of the Ministry of Education is face to face with the new Finance Ministry, now building. This monster construction, topped with a huge cornice supported by fluted consoles, seems intent on putting the battle of design into visible models. It is curious that this same Finance Department, so anxious to be aggressively conservative at the capital, should be ready to imitate its rival in Recife by adopting a modified version of the Rio Education Building; but there are mysteries in all governments.

Schools, hospitals and libraries are also the province of the government. Schools are needed, especially up-country, and the new ones are very good. In Rio there are many small modern public schools for the lower grades, the latest and best of them at Niteroi. São Paulo opened its "Sedes Sapientiae" in 1942, the work of Rino Levi who

Escolas, bibliotecas, muitos hospitais estão debaixo da competencia governamental. As escolas necessaríssimas, principalmente no interior, apresentam alguns excelentes modelos. No Rio, ha varias pequenas escolas públicas modernas para a instrução primaria, as melhores delas porém encontram-se em Niteroi. São Paulo abriu a sua "Sedes Sapientiae" em 1942, projeto de Rino Levi, autor de trabalhos maiores para teatros e hoteis, mas que encontra melhores motivos de orgulho em magníficos conjuntos de obras de dimensões moderadas.

A amplíssima Escola Normal do Salvador dá ideia de um excelente esforço ali, no sentido de exterminar-se o analfabetismo. Quanto a hospitais, dois muito grandes em São Paulo e o Sanatorio de Tuberculosos Santa Terezinha, na Baía, oferecem soberbos exemplos. Foram bem projetados e bem instalados. Entretanto a necessidade de muitos outros, principalmente em lugares afastados, é evidente.

has done larger jobs in theaters and hotels but may well be proud of this excellent moderate-sized group. The very large Normal School at Salvador suggests the idea that here a good beginning has been made on wiping out illiteracy. For hospitals, two big ones at São Paulo and the Sta. Terezinha (tuberculosis) at Salvador are good examples; they are well planned and equipped. The need of more is apparent, particularly in the back country.

São Paulo was about to open its tall central public library last summer. The design is pleasant, although some of the structural elements do not seem to have cooperated well with the best architectural results. It will house a million volumes and provide all the usual facilities found in our big cities. The upper class reads enormously but the many times larger lower class almost not at all. More and more people are being taught to use public libraries; São Paulo's will be a leading agent in this important work.

Airports are numerous in Brazil but only the two buildings at Rio shown here need attention. The seaplane station, used for all planes until a new land plane station can be built, and hangar No. 1 are models of their kind, surpassing the New York or Washington airport buildings in design, but not in area. Smaller airfields are not yet well equipped with the necessary buildings and those that exist are mediocre, although air travel has special importance in this huge and difficult country.

What is not known in the United States, but exists as a matter of course in France, Spain, Portugal and South America, is the casino, usually with its own restaurants, theaters, floor shows, and movies. Petrópolis is building an immense caravansary of the sort, complete even to outdoor sports.

At Pampulha, the new development of the energetic upland city of Belo Horizonte, the municipality has just opened Oscar Niemeyer's de-

São Paulo inaugurou a sua grande biblioteca pública, que é a do Departamento de Cultura, durante o último inverno. A traça é agradavel, embora alguns dos elementos estruturais não pareçam haver contribuido muito bem para os resultados arquitetônicos. Poderá conter, de inicio, um milhão de volumes e está dotada de todos os melhoramentos possiveis numa grande cidade. As classes mais adiantadas lêm bastante mas as modestas muitíssimo menos. Cada vez mais o público aprende a frequentar bibliotecas e São Paulo tem sido um estupendo incentivador disso.

Existem muitos aeroportos no Brasil, mas só dois edificios, no Rio, chamam a atenção. O hidroporto, atualmente usado por qualquer avião até que o novo aeroporto esteja concluido, e o hangar n. 1 são modelos na especie, superiores em desenho aos edificios dos aeroportos de Nova York e de Washington, embora não o sejam em tamanho. Os pequenos campos de aviação não se acham ainda dotados das construções necessarias e os que existem são mediocres, apesar da importancia capital da aviação num paiz enorme, dificil e acidentado como o Brasil.

Coisa desconhecida nos Estados Unidos, mas existente em França, Espanha, Portugal, e em muitas cidades da América do Sul, é o cassino, em geral com o seu restaurante proprio, teatros, variedades e cinema. Em Petrópolis acha-se em construção um imenso caravansarai, proprio até para esportes de ar livre.

O desenvolvimento dessa pletórica cidade montanhesa que é Belo Horizonte, levou a municipalidade a abrir o lindo cassino projetado por Oscar Niemeyer, em Pampulha. Situado sobre um pequeno promontorio, às margens de um lago artificial, ostenta uma torre cilindrica como ponto de referencia para as circunvizinhanças. Sua elegante e leve estrutura dá boas vindas aos que chegam. Uma cúpula suave pro-

lightful casino. On a small promontory in the irregular artificial lake, its low cylindrical tower a landmark for the neighborhood, this elegant, light structure welcomes the pleasure-loving public. An airy canopy shelters the big bronze figure of a semi-reclining woman by the sculptor Zamoiski. Large areas of glass in metal frames make views of the lake and distant mountains a part of the decoration of the spacious interior.

Across the water is an island restaurant or "dancing," seeming to follow the curves of the shore as it winds along to the yacht club beyond. These too are by the same architect. They form a related group, using similar materials even to the blue and white tile walls at their bases. Light supports, open walls, variety of line, cool color, what could be more right for these places of recreation?

Like so many Brazilians, the landscape designer, Roberto Burle-Marx, is a man of several artistic talents; not only has he painted an excellent mural for the Yacht Club, but he has linked the buildings with an agreeable scheme of planting and filled the pool of the restaurant with lovely water plants.

São Paulo will be found to have lead in town planning, first in importance of government-inspired projects. The 9th of July tunnel was opened there in 1935. Roads of different levels cross each other in the heart of the city and new roads and bridges extend far out into the country. The Mayor himself, Snhr. Prestes Maia, is an engineer and a combination of Moses and LaGuardia. The architect-designer is a rarity in Brazil. Practically all of them have diplomas in engineering as well as in architecture, but to these functions four out of five add those of what we here call a contractor. This has always proved detrimental to pure design in any country. It is said that four and a half houses an hour were built in São Paulo in 1941. Under such conditions building regulations become elastic and the long

tege uma figura de mulher semi-inclinada, grande obra de bronze do escultor Zamoiski. Largas areas de vidro armado em estrutura metálica deixam uma vista aberta para o lago e montanhas distantes que ajuda a decorar o espaçoso interior.

Do outro lado há uma ilha, restaurante ou salão de baile, que parece acompanhar as curvas da margem serpenteando para além do Yacht Club. Tambem esta parte obra do mesmo arquiteto. Formam um e outro um grupo conexo, dos mesmos materiais, a começar pelo azulejo branco e azul das bases. Lustres, paredes abertas, linhas variadas, cores frescas, tudo adequado aos centros de recreação.

Como muitos brasileiros, o paisagista Roberto Burle-Marx possue varios talentos artísticos. Não só pintou um magnifico painel no Yacht Club mas ainda uniu os diversos edificios num agradavel conjunto de vegetação e decorou a piscina do restaurante de lindas plantas aquáticas.

São Paulo foi o bandeirante tambem do urbanismo. Aí surgiram os primeiros grandes planos de origem oficial. Os tuneis 9 de Julho começaram a ser abertos em 1935. Estradas com passagem de nivel nos cruzamentos, muitas asfaltadas, principiaram a ser construidas em 1920. Desde 1934, abrem-se avenidas novas, alargam-se ruas, construem-se viadutos dentro do proprio coração da cidade. O seu atual prefeito, sr. Prestes Mais é engenheiro, uma combinação de Moses e La Guardia.[1]

O arquiteto desenhista é avis rara no Brasil. Estes profissionais possuem diplomas de engenheiro e de arquiteto, mas pelo menos oitenta por cento deles são empreiteiros de obras. Está provado que isso foi sempre prejudicial ao desenho puro, em qualquer paiz do mundo. Qua-

1. Moses é diretor de Parques e Jardins, uma especie de Manequinho Lopes de Nova-York. La Guardia é o atual prefeito da mesma cidade

view is sacrificed to pressure for high rentals. Rua Marconi is a striking example. This street adjoins Mappin's big department store, the Teatro Municipal and the Hotel Esplanada, a section of conservative heights. High-priced space was wanted near this important center so both sides of this street some two hundred yards long by twenty feet wide were completely torn down and rebuilt fifteen stories high (by regulation) within two or three years. Not even Detroit or Houston can match the speed of growth both in São Paulo and Rio de Janeiro in 1940–1941.

Manhattan and Rio have much in common in that they both have restricted land area near the center; one an island bounded by three rivers, the other a winding strip of partly level land hemmed in by mountains on one side and by the Atlantic and the bay on the other. Whole hills have been scooped off and dumped along the shore to form boulevards, gardens and airports beyond the old water line. Only in Chicago is there anything at all similar, dictated by the same need for more and wider roads to get greater traffic ever faster to outlying new districts. At night the curving line of street lamps along the bays and the well-lighted parks and avenues recall the title Paris once held of the Ville-Lumière, a title to which Rio has some right in these days of general gloom.

Rio also has an ambitious plan, including the boring of several new tunnels and the completion of the grand Avenue Getulio Vargas, which is to cut across a crowded district now supplied with much too narrow streets; some, like the rua Ouvidor, are so narrow that at certain hours only pedestrians are allowed on them.

Belo Horizonte, new capital of Minas Gerais, and Goiânia, capital of Goiaz, have been able to start their town plans almost from scratch. The layouts have a look of Major L'Enfant rather than something done in the motor age, but still they have wide streets and many open spaces.

tro casas e meia por hora foram a media de construção em São Paulo, durante o ano de 1941. Em tais condiçõis qualquer código de obras acaba sempre por ser sacrificado pela pressão do aumento da renda. A rua Marconi é um exemplo frisante. Esta rua está ao lado do Teatro Municipal, em seção urbana de construções de altura limitada, como o Hotel Esplanada e as lojas Mappin. O preço excessivamente elevado do terreno motivou em 1936, a proposta dos proprietarios à Prefeitura Municipal de doarem o terreno necessario à abertura dessa nova rua de menos de duzentos metros de comprimento por cerca de seis de largura, onde existiam casas baixas, afim de aproveitar-se a area de ambos os lados para construção de edificios de quinze andares, maximo permitido por lei. Pois todas essas construções se fizeram em menos de tres anos. Nem Detroit nem Huston poderão apostar carreira de crescimento com São Paulo e Rio de 1940-1941.

Manhattan e Rio de Janeiro têm muita coisa de comum. Ambos contam uma area central muito limitada, a primeira uma ilha circundada por tres rios, a outra uma faixa sinuosa de terreno apertado, de um lado, por grandes montanhas e pela baía e o Atlântico, do outro. Colinas inteiras foram arrazadas e o material removido para aterrar uma nesga da baía sobre que se construiram largas avenidas, jardins e um aeroporto que hoje ocupam espaço furtado ao mar. Sómente em Chicago se fez coisa semelhante, ditada pelas mesmas necessidades de mais e mais largas vias de trânsito. A noite, as linhas curvas da iluminação das ruas ao longo da baía e as avenidas e parques bem iluminados estão como a arrebatar de Paris o título de cidade-luz, principalmente nestes tempos de escuridão geral.

O Rio sonha tambem um plano grandioso, no qual estão incluidas a a abertura de varios tuneis e a de uma enorme radial cortando zonas

As for connecting roads between centers, Brazil is extremely backward. The chief difficulties are red clay, torrential rains at times, and the most irritating mountains an engineer could find. The new road between São Paulo and Santos will not be finished for several years, nor the long and difficult link to Rio. One of the few modern roads in the entire country leads from Rio to Petrópolis and eventually to Therezopolis.

Housing and slum clearance are on the public conscience enough to show considerable results. In many parts of Brazil the poorer people live in mud huts with roofs thatched with palm leaves or a plant called *sapé*. The walls serve as refuge for the blood-sucking insect known as *barbeiro* which carries the prevalent Chagas' disease. In the larger cities a good start has been made on replacing these insanitary houses with decent quarters.

The new housing, however, is not always welcomed. Rio has little flat or even rolling land near the center. If the people who perch in huts on the adjoining mountainsides are to be moved, where can they go except far out on the dismal flat ground up the bay? They would prefer to hang on by their teeth over the gay lights and lovely views of the city. So far, housing everywhere has suffered from the Prussian spirit of the drillyard. When it can rid itself of this, human beings may be willing to live in the new places that now seem worse than death to them.

There are a number of projects, several of them under construction, for large low-cost housing developments such as have been done in Europe and, more recently, in the United States. Atilio Corrêa Lima has planned a large scheme for the industrial section of São Paulo. It will include a number of high apartment houses, workshops, and community buildings. Realengo is an interesting housing experiment with apartments as well as single houses.

The change from individual private houses to

até agora servidas apenas por ruas estreitas. Algumas pequenas ruas, como a do Ouvidor, são tão acanhadas que por elas só se permite o tráfego de pedestres, e, em outras de condições pouco melhores, os veículos só podem penetrar durante algumas horas da manhã e da noite.

Belo Horizonte, capital de Minas Gerais e Goiania, nova capital de Goiaz puderam organizar o seu plano da cidade partindo do nada. Ambos os conjuntos fazem lembrar mais qualquer coisa do tempo de L'Enfant do que da idade da máquina, embora tais cidades possam contar com muitas ruas bem largas e bastante espaço livre e aberto.

O Brasil não está ainda em dia no que se refere a uma unidade urbanística entre as estradas e as cidades. As maiores dificuldades são a argila vermelha pegajosa, as torrenciais chuvas periódicas e as montanhas mais implicantes que um engenheiro póde encontrar. Tanto a nova estrada entre São Paulo e Santos como a longa e acidentada ligação com o Rio não estarão definitivamente terminadas antes de alguns anos. Uma das poucas rodovias modernas em todo o paiz é a estrada do Rio a Petrópolis e possivelmente a Terezópolis, aberta em 1927.

O arrazamento de mocambos, favelas e cortiços está na consciencia de todos e os resultados disso são já patentes. Em muitas partes do Brasil, as populações vivem em palhoças de pau a pique com telhado de folhas de palmeira, sapé ou barba-de-bode. As paredes barreadas de muitas taperas servem de ninho ao barbeiro, inseto hematófago transmissor da doença de Chagas. Nas grandes cidades, um grande esforço vai sendo feito no sentido de substituir esses nucleos insalubres por habitações decentes. Essa campanha nem sempre tem sido bem compreendida. O Rio, como dissemos, possue pouca area de terreno plano ou apenas ondulado, próximo ao centro. Si a população

apartment houses has recently progressed by leaps and bounds in the big cities of Brazil. It seems to be occurring in all parts of the world at the same time, but it was impressive to find fifty tall buildings of reinforced concrete rising in one city, as was the case in Rio in 1942. This skyscraper development has spoiled adjoining property, brought high land prices and high rents. The rush to invest in real estate continued up to the time Brazil entered the war. The present enforced recess should slow up mushroom growth and prevent the ruin of many good old quarters with their open spacing and fine trees.

Rio apartments face the sea for the views and the constant breezes which make the summer tolerable. Hardly an apartment is without some form of partly sheltered outdoor space; the European custom of balconies is ideal here. Whereas screens are absolutely essential in most of the United States, continuous winds seem to make them unnecessary in Brazilian coast towns. This encourages a pleasantly open relationship between indoors and outdoors. The openness extends to the shops, which are often entirely without glass and protected by folding iron grills during the night.

The exteriors of these new apartment houses are usually of cream or gray stucco, completely shorn of ornament but with pleasing arrangements of openings. The entrances are lined with plain marble slabs relieved by boxes of green plants. We naturally associate much and strong color with warm countries, but aside from one exceptional building in São Paulo, where at least five different bright-colored canvases were used for awnings against a gray stucco wall, what one actually finds are neutral colors, white curtains and frequent use of blue. The popularity of blue and white is traditional: those were the colors of the flag of the Portuguese monarchy. Such good and simple taste is not to be found in the fussily furnished lobbies of Park Avenue.

que vegeta nos cochicholos das favelas, nas escarpas dos morros, for removida, para onde poderá dirigir-se a não ser para muito longe ou para os lúgubres alagadiços da baía? Mas essa gente preferiu sempre permanecer agarrada às proximidades das luzes alegres e das vistas amplas da cidade. A campanha de construções populares tem sido orientada como por um rígido espírito prussiano. Quando libertada dessa dureza e com propaganda melhor certamente os grupos humanos se disporão a viver nesses novos lugares que lhes são indicados, sem a ogerisa e a aversão que, hoje, os fazem preferir a morte lenta dos morros ou das varzeas.

Ha um grande número de projetos, alguns em plena execução, de conjuntos de habitações baratas, tal como se deu na Europa e, mais recentemente, nos Estados Unidos. Atilio Corrêa Lima é o autor de um grande risco destinado a um bairro industrial de São Paulo. Está nele incluido certo número de altos sobrados de apartamentos, oficinas e outras instalações gerais. Realengo é uma interessante experiencia de habitação coletiva, compreendendo tanto casas de apartamentos como residencias isoladas.

A preferencia da habitação individual para a casa de apartamento tem aumentado muito, por verdadeiros saltos, nas grandes cidades do Brasil. Parece um fenômeno verificado em todas as partes do mundo ao mesmo tempo, mas é impressionante verem-se cincoenta grandes edificios de cimento armado erigidos numa só cidade como aconteceu no Rio de Janeiro, em 1942. Estes arranha-ceus prejudicaram as propriedades circunvizinhas, acarretaram a valorização do terreno e a elevação dos alugueres. A corrida da inversão de capitais em imoveis continuava até o momento do Brasil entrar na guerra. A presente situação de anormalidade sofreará essa febre preservando muitos lindos quarteirões com os seus enormes quintais e cheios de velhas e respeitaveis arvores.

From the street one catches a glimpse of the inviting garden of the Frontini House (above and below)

Da rua, póde-se arriscar um golpe de vista para o atraente jardim da residencia Frontini (ao alto e em baixo)

Privacy and domestic exclusiveness have always appealed strongly to Latins. It has been one of the conspicuous differences between North and Latin Americans. Indeed, one reason for the enthusiastic acceptance of the sunshade, from the simple *rotulas* to the most complicated type, is that they give the privacy which Bra-

Os apartamentos do Rio voltam-se de preferencia para o mar nem só pela vista mas tambem pela brisa marinha amenizadores dos grandes calores. E' raro um apartamento desprovido de uma area ou qualquer espaço parcialmente abrigado. A moda europeia dos balcões é ideal para aqui. As telas de arame às janelas e portas, indispensaveis na maior parte dos Estados Unidos, são desnecessarias nas cidades do litoral brasileiro, varridas por vento continuo e forte. Isso incentiva um contato agradavel e direto entre o interior e o exterior das habitações. Pela mesma razão, os lojas são inteiramente abertas, sem portas de vidro e protegidas simplesmente por grades de ferro durante a noite.

O exterior dos novos predios de apartamento é em geral revestido de reboque cinzento ou amarelado, completamente despido de ornamentos. As entradas guarnecidas de mármore liso e plantas em vasos ou caixas. Em geral, as cores fortes acham-se associadas ao ambiente dos paizes tropicais, mas, com excepção de um único predio em São Paulo onde lonas de pelo menos cinco cores vivas diferentes são usadas para toldos que se salientam do fundo cinza das paredes, o que se observa com mais frequencia são cores neutras, cortinas brancas e o uso frequente do azul. Tais demonstrações de bom gosto não se encontram nos vestíbulos pretenciosamente decorados da Park Avenue, de Nova York.

Um isolamento exclusivista foi sempre o traço acentuado das familias latinas. Constitue uma das diferenças constantes e fundamentais entre os Estados Unidos e os paizes latino-americanos. Talvez uma das razões para a aceitação franca e entusiástica dos quebra-luzes, desde as simples rótulas até o tipo mais complicado, seja justamente esse isolamento retraido da casa que os brasileiros mantiveram durante séculos. Entretanto, projetos mais recentes, como os do Jardim

Courtyard of the Frontini House, São Paulo

Patio da residencia Frontini, em São Paulo

zilians have enjoyed for centuries. Yet the newer planning, such as the Jardims Europa and America at São Paulo, has produced residential areas more like the golf club developments of North American cities. The house is placed close to the street in the middle of a narrow lot, the intervening space dotted with a tree or two and some bushes. At the rear is a larger space for garage and miscellaneous yard uses. This does not seem to fit the Latin tradition of walled privacy, but it has become a new fashion.

About 1938 an architect, Rudofsky, arrived in São Paulo and built two houses for Snhr. Frontini and Snhr. Arnstein, combining the most complete and satisfactory use of a small ground area with all the privacy, yet all the openness that could be desired.

Of these two houses, the latter has created a type as good and as definite as the Pompeian villa. Romans built a high rectangular wall lined by a series of small rooms all looking into one or two courts. Protection and privacy were so se-

América e Pacaembú, de São Paulo, proporcionaram bairros residenciais que fazem lembrar o panorama das cidades-jardins norte-americanas. A casa acha-se colocada no meio de um lote junto à rua, no espaço intermediario algumas árvores e arbustos. Nos fundos, espaço para garage e quintal. Isso não parece corresponder à tradição latina de quintais fechados, mas tornou-se moda.

Aí por volta de 1938, chegou a São Paulo o arquiteto Rudofsky e construiu duas casas, uma para o sr. Frontini e outra para o sr. Arnstein, conjugando a mais completa e satisfatoria utilização de uma area segregada com as vantagens da largura que se podia desejar.

Dessas duas casas, a ultima criou um tipo tão bom e tão definido como uma vila pompeiana. Os romanos construiam uma parede alta e retangular alinhada por uma serie de pequenos quartos, todos dando para um ou dois patios. Proteção e isolamento completos.

A casa de Arnstein obteve a mesma coisa por um muro contornando a propriedade. Além da casa, foram feitos ainda cinco patios ajardinados e isolados para recreações ao ar livre. O jardim contém árvores finas, arbustos e plantas de luxo arrumadas de maneira original. Gran-

Simple new house in São Paulo by Gregori Warchavchik

Uma casa simples em São Paulo, de Gregori Warchavchik

cured from the public. The Arnstein house does this by an outside wall around the property; besides the house itself it creates five well-separated garden courts for outdoor living. The gardens contain fine trees, shrubs and lush flowering plants arranged in an informal way. Wide verandas protect the living room on the sunny side. There is no such completely homogenous and successful example of the modern house-garden in the Americas. Brazil is an ideal locale for it.

des varandas protegem a sala de estar pelo lado do sol. Não é evidentemente o exemplo americano uno e feliz da casa moderna ajardinada, para o que o Brasil é sitio privilegiado.

E' bem recebido o chamado estilo colonial aqui tanto quanto o nosso estilo colonial dos Estados Unidos, embora não aparente o mesmo garbo que possuiam os velhos solares do século XVIII. Felizmente há agora gente audaciosa que ama as casas mais de acordo com os seus hábitos proprios e necessidades modernas.

An authentic 18th century house in Ouro Preto

Casa autêntica do século XVIII, de Ouro Preto

The "Colonial" architecture of present-day Brazil

A arquitetura colonial de hoje no Brasil

May more and more Brazilians realize that the so-called colonial style now popular there, just as our colonial is here, makes but a poor shadow of the proud, solid old buildings of the 18th century. Fortunately there are now many bold enough to enjoy the pleasure of experiment and the contentment of living in houses that fit their own appearances, habits and machines.

Those who could afford to give up their houses in Rio and move into more open country have often gone to the cool heights of Tijuca and Alto da Boa Vista, within easy driving distance of the city. These places are less favored with cool breezes, but on the other hand, they are several hundred feet above the ocean and the shadows of the mountains keep them cool part of the day. The purple of the *jacarandá,* red of the flame

As pessoas do Rio que podem viver mais longe, no campo ou quasi, têm dado muita preferencia às alturas frescas da Tijuca ou do Alto da Boa Vista, aliás perto da cidade. Estes sitios são menos favorecidos das brisas mas, em compensação, se acham a algumas centenas de metros acima do nivel do mar e as sombras das montanhas dão-lhes parte de sua frescura, durante o dia. O jacarandá purpureo, o rubro de certas árvores, o amarelo das cassias e dos ipês, o prateado das imbaubas salpicam de côr a densa floresta que cobre a montanha.

Até agora, os parques e paisagens ajardinadas têm sido largamente influenciados pelos modelos franceses do século XVIII. Agache que tem permanecido no pais por mais de dez anos, desde que foi contratado pela prefeitura do

tree, yellow of the cassia and silver of the *imbauba* tree dot the thick jungle mountainsides with color.

Up to the present, park and landscape gardening has been largely based on 18th century French models. Agache, who has been in the country for more than ten years and laid out many of the parks along the bay shore at Rio, has remained conservative. To a foreigner, the most interesting parks are the old "squares" in the Praça Republica and near the Praça Paris. Their immense trees and informal planting provide welcome relief for the crowds in these districts.

Natural lines, asymmetrical layout, and use of the immense native supply of flowering shrubs, plants and trees are just beginning to appear. Cannas and salvia have a bad name with us because they have been used unimaginatively; here they are employed with surprisingly successful results. The croton plant, of which there are dozens of varieties native to Brazil, is given a new meaning by such a landscapist as Burle-Marx. Instead of using the dot-and-dash method of scattering their brightly variegated leaves in flower beds, he masses them in hedges, sometimes dark red, and again yellow and green.

Sculpture must not be omitted from a discussion of modern building. The old parks and avenues are full of monuments, although the newer parkways have not as yet acquired much sculpture. The canopy at the entrance to the casino at Pampulha was designed for the heroic figure of a woman and pieces of monumental sculpture have been begun or considered for the Ministry of Education and Health. At São Paulo, Brecheret is working on one of the most colossal plastic masses in existence.

It is to be hoped that such sculpture as is used, and should be used, in parks and gardens will be considered more for its quality and its relation to the surroundings than for patriotic or

Distrito Federal, em 1927, projetou muitos dos parques ao longo da baía Guanabara, mas mantendo sempre um cunho conservador nos seus trabalhos. Para um estrangeiro, os parques mais interessantes são os velhos recantos como a praça da República e as adjacencias da praça París. Suas imensas árvores e plantas nascidas ao acaso, sem nenhum plano, dão um encanto diferente a esses lugares.

As linhas naturais sem nenhum intento simétrico e o uso das inúmeras especies de flores locais, árvores e plantas, justamente agora começam a aparecer. Canas e salvias estão sendo muito pouco apreciadas nos Estados Unidos pelo seu frequente emprego ao acaso, sem nenhuma imaginação. No Brasil vão dando surpreendentes resultados. Os crótanos, dos quais existem dezenas de variedades brasileiras, tomam um significado novo quando empregados por paisagistas como Burle-Marx.

Em lugar de adotar o sistema alternado de distribuir o brilho variegado de suas folhas em canteiros de flores, aquele artista os reune em cercas-vivas entremeando o vermelho escuro com o amarelo e o verde.

A escultura não póde ser esquecida quando se fala de um predio moderno. Os velhos parques e avenidas estão cheios de monumentos, o que não acontece ainda com os novos. O alpendre, à entrada do cassino de Pampulha, foi projetado para abrigar uma figura de mulher em bronze. E peças de escultura monumental começam já a ser aceitas para o Ministerio da Educação e Saude Pública. Em São Paulo, Brecheret está trabalhando numa das mais gigantescas massas escultóricas existentes. Parece que as esculturas para os parques e jardins têm sido e continuam a ser escolhidas mais de acordo com o local, mais em relação com os arredores do que por motivos patrióticos ou sentimentais. A relação entre a escultura e a sua localização é pormenor fundamental, mas isso tem sido às

Old house near Rio. A continuous band of glass and lattice opens on the greenery of a great cantilevered window box

Velha casa perto do Rio. Uma parede envidraçada e gradeada contínua dando para uma longa sacada cheia de plantas

sentimental reasons. The relation of sculpture to its situation is especially fundamental, but again and again it is ignored by municipalities, committees and the public.

Whatever criticism has been leveled at the outstanding examples of buildings in the contemporary idiom — and much has been written and spoken against them — has failed to suggest any reasonable alternative.

It is hardly conceivable that young designers would be satisfied to make endless variations on such themes as the colonnaded addition (1930) to the Itamaratí Palace, the Parisian fashions on the Avenida Rio Branco, whether of 1871 or of 1900, or even the Portuguese tradition. The new architecture has come to stay in Brazil, and it will demand a very different type of training from that which has been offered by Brazil's academically-minded schools of the Belas Artes.

vezes ignorado pelas municipalidades e pelo público.

Muita crítica se levantou aos predios modernos de São Paulo e do Rio. Muito se escreveu e falou sobre o assunto, mas até agora não apareceu nenhum argumento consistente ou razoavel contra eles. Dificilmente se póde conceber que os desenhistas novos se satisfaçam com variações diversas de um mesmo tema, como as colunas que foran adicionadas ao Palacio do Itamaratí (1930), ou com os aspetos fim de século que ostenta a Avenida Rio Branco, ou sempre as mesmas inspirações da sempre mesma fonte tradicional portuguesa.

A nova arquitetura estabeleceu-se no Brasil e terá que exigir atmosfera diversa daquela que tem sido facilitada pela mentalidade acadêmica da Escola de Belas Artes.

Está por considerar-se ainda o trabalho em relação aos últimos anos de um movimento que

It remains to consider the work of the last years in relation to a movement which now extends to all parts of the world. First, it has the character of the country itself and the men there who have designed it. Second, it fits the climate and the materials for which it is intended. In particular, the problem of protection from heat and glare has been courageously attacked and often brilliantly solved. Third, it has carried the evolution of the whole movement some steps forward toward full development of the ideas launched in Europe and America well before the war of 1914.

Our North American slogan "safety first," sometimes puts a restraint where it is not needed. Herbert Johnson, of Racine, Wisconsin, and Fortaleza, Ceará, is a rare specimen of the American business man. He put "safety," or "resale value," well after first place and as a result has original, satisfying buildings to live and work in.

Brazil has launched out into an adventurous but inevitable course. The rest of the world can admire what has been done and look forward to still finer things as time goes on.

se estendeu por todas as partes do mundo. Mas é preciso ver que, primeiro, traz ele o carater do proprio país e dos artistas que o lançaram; em segundo lugar, se ajusta ao clima e aos materiais de que dispõe. Em particular, a proteção contra o calor e os reflexos da luz forte foi corajosamente encarada e brilhantemente resolvida. E, em terceiro lugar, tudo isso acarretou à evolução completa do movimento alguns passos no sentido das ideias lançadas tanto na Europa como na América, antes da guerra de 1914.

À fórmula norte-americana de "a segurança acima de tudo" algumas vezes tem-se sacrificado o que devera ser mantido. Herbert Johnson, de Racine, no Estado de Wisconsin, Estados Unidos e de Fortaleza, Ceará, é um raro espécime de homem de negocios norte-americano. Jamais ele coloca a *segurança* do valor de venda em primeira plana e o resultado são os seus edificios agradaveis para viver e trabalhar.

O Brasil lançou-se numa aventurosa mas inevitavel corrida. O resto do mundo póde admirar o que foi feito até agora e ver que melhores coisas serão ainda produzidas à medida que o tempo passar.

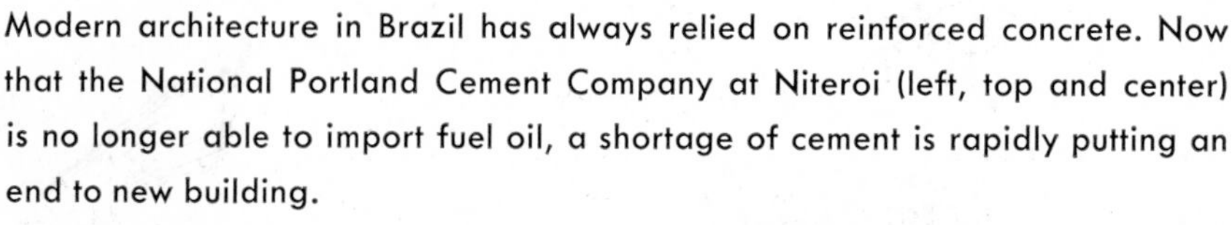

Modern architecture in Brazil has always relied on reinforced concrete. Now that the National Portland Cement Company at Niteroi (left, top and center) is no longer able to import fuel oil, a shortage of cement is rapidly putting an end to new building.

Typical of the new construction are the two buildings shown at right. One has hollow tile walls, concrete floors, cantilevered concrete balconies. The other, Saturnino Nunes de Brito's Ministry of Finance Building at Recife, has a reinforced concrete frame, set back from the facade to allow continuous bands of glass.

The cantilevered concrete staircase of a building under construction in Rio provided the curiously medieval-looking scene at lower left.

A arquitetura moderna do Brasil apoiou-se sempre no cimento armado. Agora que a Companhia Nacional de Cimento Portland, de Niteroi (à esquerda, em cima, e no centro) está impossibilitada de receber olio mineral, a falta de material paralizará as construções.

Exemplos típicos de construção nova são os dois edificios que se vêem à direita. Um, de parede de azulejos, pavimentos de concreto e balcões em taboleiro tambem de concreto. O outro, o predio da Recebedoria de Rendas, em Recife, construido por Saturnino Nunes de Brito, com estrutura de cimento armado recuada da fachada, de maneira a permitir paredes continuas de vidro.

A escadaria em taboleiro de um edificio em construção no Rio favorece um aspeto mais ou menos medieval (em baixo, à esquerda).

Ministry of Education and Health
Avenida Graça Aranha, Rio de Janeiro
Lucio Costa, Oscar Niemeyer, Afonso Reidy, Carlos Leão, Jorge Moreira and Ernani Vasconcelos, architects
Le Corbusier, consultant
begun about 1937; still in construction summer, 1942

Here is no merely skin-deep beauty. Each unusual element has resulted from fresh and careful study of the complicated problems of the modern office building.

Most startling innovation is the elaborate *brise-soleil* which shields the glass-walled north facade. This system of sunshades, first of its kind anywhere in the world, is described in some detail on page 85 of the introduction.

The internal concrete frame permitted the north and south sides to be entirely of glass, uninterrrupted by supporting members. The narrow east and west walls, as well as the columns which lift the main block from the ground, are veneered with a pinkish-gray native granite.

Boldly set above the cleanly defined block of offices are freely curving structures containing water tanks and elevator apparatus. These are covered with blue vitreous tile.

Ministerio da Educação e Saude Pública
Avenida Graça Aranha, Rio de Janeiro
Lucio Costa, Oscar Niemeyer, Afonso Reidy, Carlos Leão, Jorge Moreira e Ernani Vasconcelos, arquitetos
Le Corbusier, consultante
iniciado em 1937, ainda em obras no outono de 1942

Aqui não ha beleza superficial sómente. Cada pormenor original é consequencia de um carinhoso e atento estudo dos mais complicados problemas de construção moderna.

A inovação mais audaciosa são os originais quebra-luzes que protegem as paredes de vidro da fachada norte. Este sistema de defesa contra o sol, absolutamente inédito na arquitetura, vai descrito minuciosamente à página 85, da Introdução.

A estrutura interna, de concreto, permitiu que as fachadas norte e sul fossem inteiramente de vidro, sem interrupção de peças de suporte. As paredes estreitas dos lados éste e oeste, bem como as colunas que sustentam o bloco principal são guarnecidas de granito da terra, roseo-cinzento.

Ousadamente posta sobre o bloco de escritorios, vê-se uma estrutura de linhas curvas onde se acham os depósitos dagua e maquinaria dos ascensores. Esta é coberta de telhas de vidro azul.

Ministry of Education and Health, Rio de Janeiro

The wall of double hung windows on the south side needs no protection from the sun.

Under the main building and at right angles to it is a low block containing auditorium and exhibition halls. Its walls are veneered with specially designed blue and white tiles. On its roof is a garden terrace accessible from the Minister's suite.

Other tiles form a great mural at the base of the west wall of the main building.

Ministerio de Educação e Saude Pública, Rio de Janeiro

A parede com duplas janelas superpostas do lado sul não necessitam de proteção contra o sol.

Sob o edificio principal, em ângulo reto com ele, acha-se um bloco baixo onde se encontram o auditorium e as salas de exibição. As paredes são de azulejo branco e azul, especialmente desenhado. Sobre o telhado, um terraço-jardim, para uso do Ministerio.

Outros azulejos formam um grande mural com base na parede oeste do edificio principal.

Ministry of Education and Health, Rio de Janeiro

Above is a detail of the mural on the west face of the building. The tiles were designed by Candido Portinari, painted by Paulo Rossi (Osir) and made by Matarazzo & Company.

Ministerio de Educação e Saude Pública, Rio de Janeiro

Eis um pormenor do mural da face oeste do predio. Os azulejos foram desenhados por Cândido Portinari, pintados por Paulo Rossi Osir e fabricados por Matarazzo & Comp.

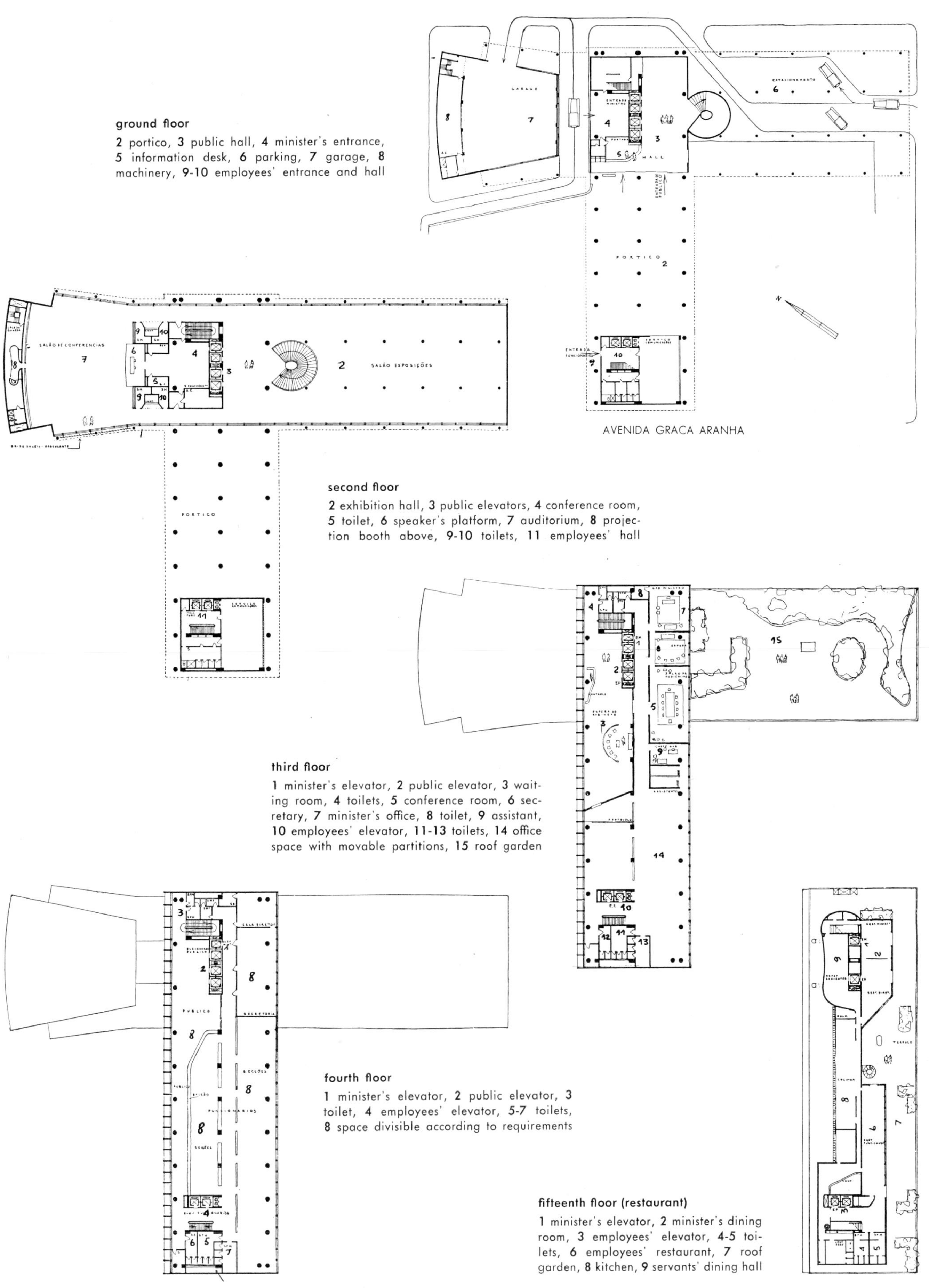

ground floor

2 portico, 3 public hall, 4 minister's entrance, 5 information desk, 6 parking, 7 garage, 8 machinery, 9-10 employees' entrance and hall

second floor

2 exhibition hall, 3 public elevators, 4 conference room, 5 toilet, 6 speaker's platform, 7 auditorium, 8 projection booth above, 9-10 toilets, 11 employees' hall

third floor

1 minister's elevator, 2 public elevator, 3 waiting room, 4 toilets, 5 conference room, 6 secretary, 7 minister's office, 8 toilet, 9 assistant, 10 employees' elevator, 11-13 toilets, 14 office space with movable partitions, 15 roof garden

fourth floor

1 minister's elevator, 2 public elevator, 3 toilet, 4 employees' elevator, 5-7 toilets, 8 space divisible according to requirements

fifteenth floor (restaurant)

1 minister's elevator, 2 minister's dining room, 3 employees' elevator, 4-5 toilets, 6 employees' restaurant, 7 roof garden, 8 kitchen, 9 servants' dining hall

Brazilian Press Association (A.B.I.)
rua Araujo Porto Alegre, Rio de Janeiro
Marcelo and Milton Roberto, architects

A simple rectilinear block equipped with sunshades and set upon the exposed columns of a recessed ground floor; above, an irregular superstructure, again recessed.

The formula is not unlike that of the Ministry of Education, but the forms could hardly be more different. This building looks solid and substantial while the other, though just as well constructed, seems light and airy.

The photographs at left show the pleasant garden terraces on the two top floors and the auditorium which is set behind the blank wall at the ninth floor level.

Associação Brasileira de Imprensa (A.B.I.)
rua Araujo Porto Alegre, Rio de Janeiro
Marcelo e Milton Roberto, arquitetos

Um simples bloco retilineo com quebra-luzes sobre colunas expostas de um discreto andar terreo. Em cima, uma super-estrutura irregular tambem discreta.

A formula não é diferente da aplicada ao Ministerio de Educação, as formas entretanto dificilmente poderiam ser mais diversas. Este edificio parece solido e forte, enquanto o outro, tão bem construido como elle, se apresenta leve e ligeiro.

As fotografias à direita mostram os agradaveis terraços ajardinados nos dois andares superiores e o auditorium situado no nono andar.

ABI

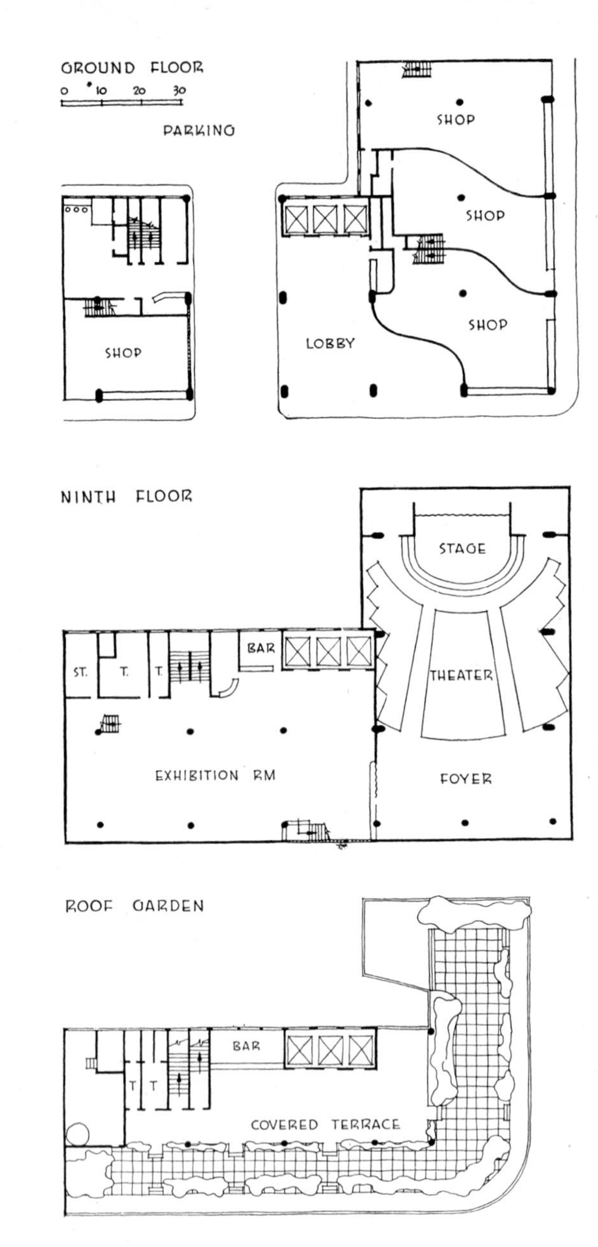

Brazilian Press Association (A.B.I.), Rio de Janeiro

The *brise-soleil* is made up of diagonally fixed concrete blinds separated from the offices by a narrow corridor. (Above, also page 87 of the introduction.)

Associação Brasileira de Imprensa (A.B.I.), Rio de Janeiro

Os quebra-luzes fixos são feitos de anteparos diagonais de concreto, separados dos cômodos por um corredor estreito. (Ver acima e tambem página 87 da Introdução.)

ASSOCIAÇÃO BRASILEIRA DE IMPRENSA

Apartments, Avenida Augusto Servero, 78, Rio de Janeiro

Not all attempts at modern architecture have been equally successful.

In the foreground is a typical Rio park strip as designed by the landscape architect Agache.

Casa de apartamentos, Avenida Augusto Servero, 78, Rio de Janeiro

Nem todos os ensaios de arquitetura moderna foram igualmente bem sucedidos.

No primeiro plano, aspeto de um parque típico do Rio de Janeiro, projetado pelo arquiteto paisagista Agache.

Institute of Industrial Insurance, Rio de Janeiro
Marcelo and Milton Roberto, architects

Designed by the same architects as the A.B.I., but less convincing than that superb building.

Instituto dos Industriarios, Rio de Janeiro
Marcelo e Milton Roberto, arquitetos

Projeto dos mesmos arquitetos da A.B.I., mas menos interessante do que este estupendo edificio.

Apartments, Alameda Barão de Limeira, 1003, São Paulo
Gregori Warchavchik, architect, 1940

Casa de apartamentos, Alameda Barão de Limeira, 1003, São Paulo
Gregori Warchavchik, arquiteto, 1940

Edificio Esther, Praça da Republica, São Paulo
Alvaro Vital Brazil and Ademar Marinho, architects, 1937

It would be difficult to find more modern living arrangements than those provided by this handsome São Paulo apartment house (see next page).

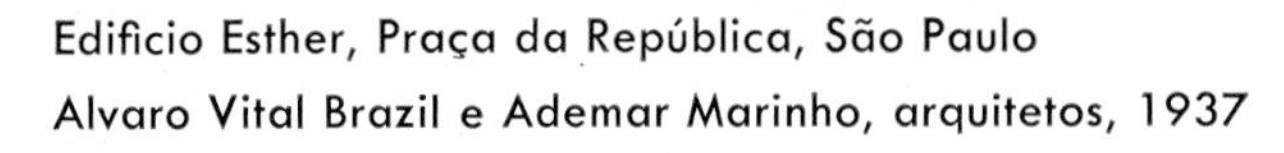

Edificio Esther, Praça da República, São Paulo
Alvaro Vital Brazil e Ademar Marinho, arquitetos, 1937

Fôra dificil encontrar arranjo melhor para a vida moderna do que o existente neste bonito edificio de apartamentos (Veja-se a página seguinte).

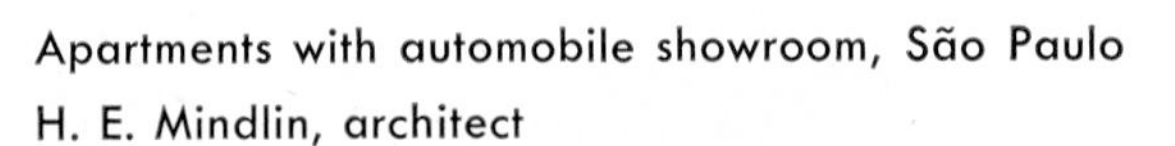

Apartments with automobile showroom, São Paulo
H. E. Mindlin, architect

A building designed to display machines, it has some of their fine clean lines.

Apartamentos com sala para exposição de automoveis, São Paulo
H. E. Mindlin, arquiteto

Um predio destinado a exibições de máquinas, cujas linhas finas e claras nele se denunciam.

A JARDINEIRA

Edificio Esther, São Paulo

The ground floor shops are separated from street and lobby only by great surfaces of plate glass, unobstructed by the set-back columns. Glass blocks in the surrounding pavement light a large basement garage.

A typical apartment floor is shown at center right. The core of the building is devoted to circulation and service areas. Kitchens and bathrooms are adjacent to sizable light wells. Since everything must be scrubbed daily with soap and water in the tropics, these rooms are tiled to the ceiling and provided with floor drains.

Each pleasantly proportioned living room and bedroom opens widely to the outside through continuous eye-level bands of horizontally sliding steel sash, protected by roll-up, awning type wooden blinds. Rows of cupboards run beneath the windows. Many of the living rooms have their own terraces.

The large and luxurious roof-terrace apartments are sketched at left.

Edificio Esther, São Paulo

As lojas do andar terreo são separadas da rua e do vestíbulo unicamente por superficies lisas de vidro interrompidas pelas colunas posteriores. Ladrilhos de vidro pelo chão deixam passar a luz para uma grande garage, no porão.

Um dos seus tipicos andares de apartamentos pode-se ver no centro, á direita. O extremo interior do edificio destina-se à circulação e às instalações internas cosinhas e banheiros, adjacentes às paredes de vidro. Para ser lavado diariamente com agua e sabão, estes cômodos são ladrilhados até o teto e providos de ralos no solo.

Tanto a sala de estar como o dormitorio bem proporcionados e agradaveis têm vista para fora por janelas que se abrem pelos caixilhos de aço e protegidas de persianas de madeira. Muitos dos apartamentos possuem terraço proprio.

O amplo terraço sobre o telhado está desenhado à esquerda.

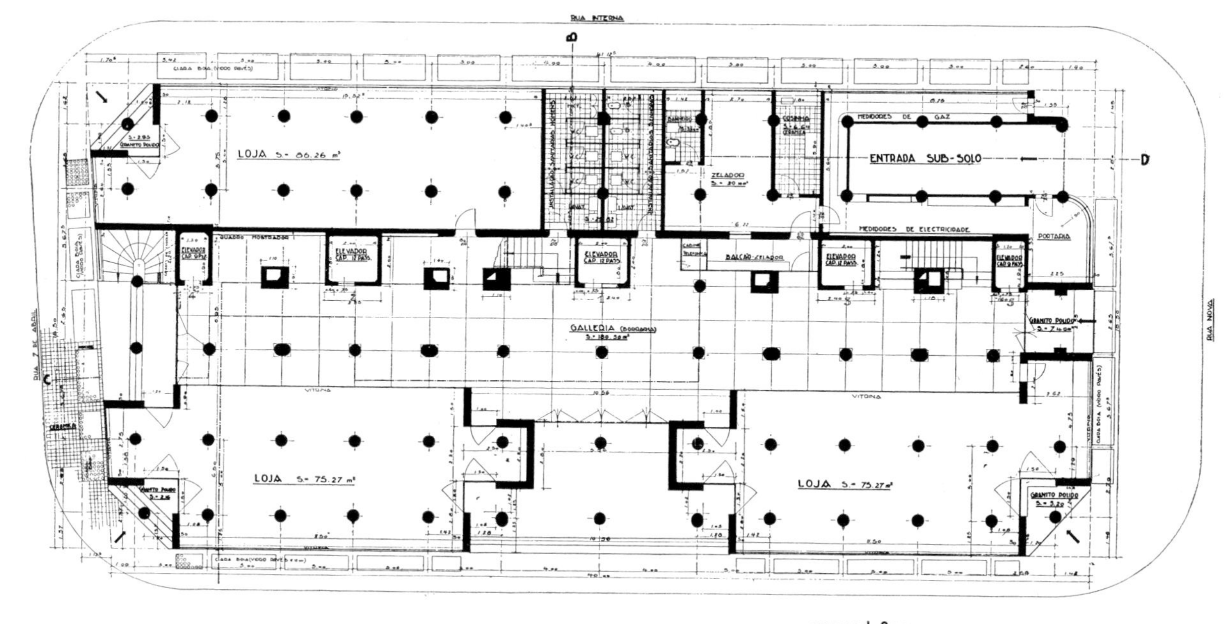

ground floor

andar terreo

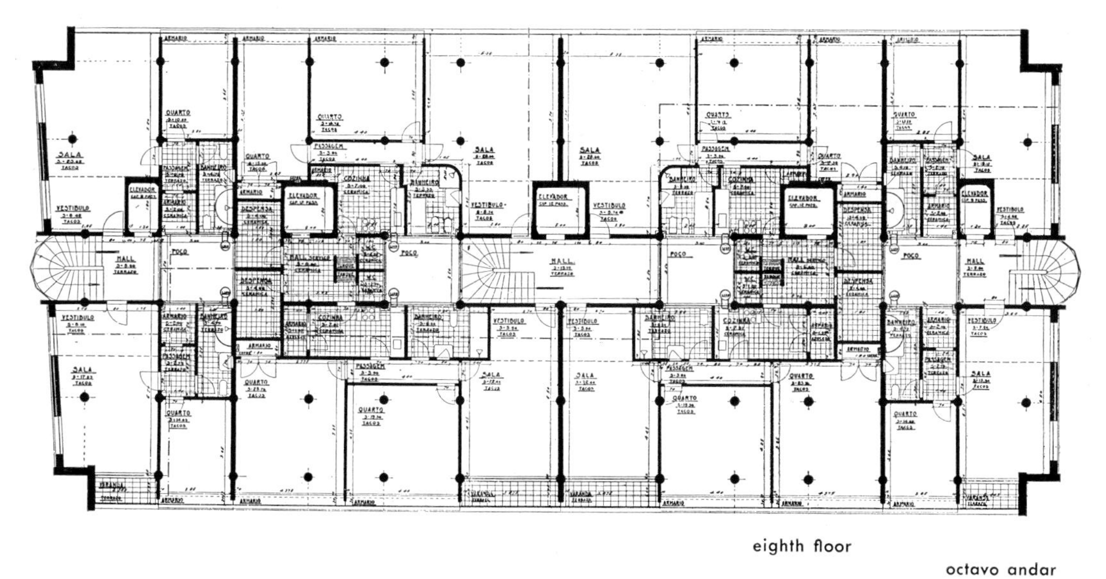

eighth floor

octavo andar

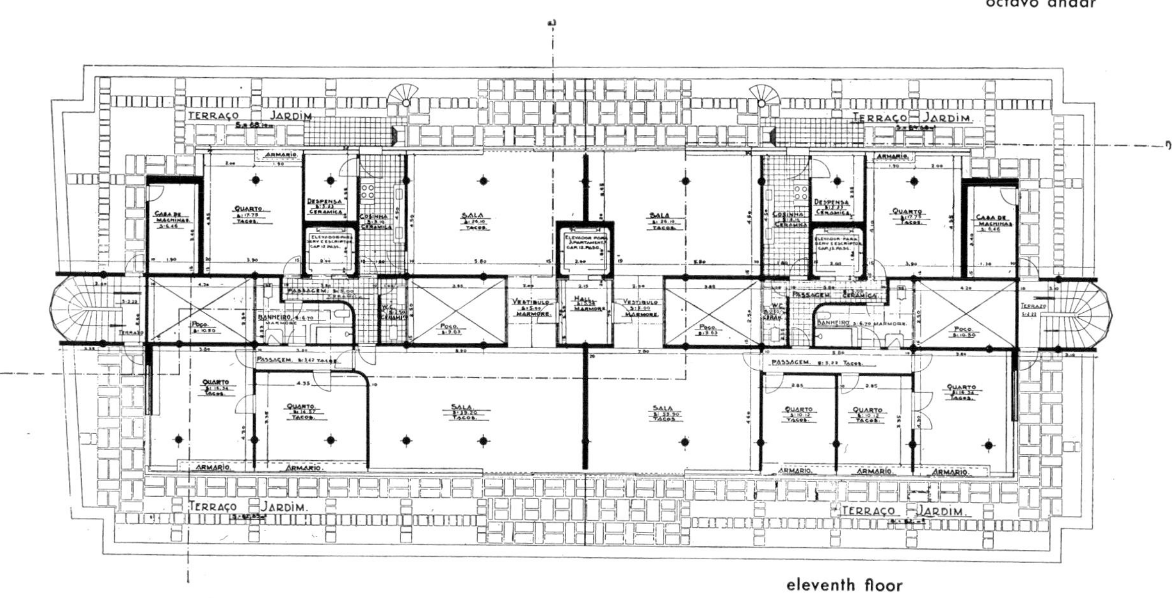

eleventh floor

décimo primeiro andar

Apartments, Praia do Flamengo, 322, Rio de Janeiro
1938

Excellently planned medium-sized flats in the most expensive section of the waterfront. Along the projecting window frames slide interchangeable panels of glass and shutter.

Casa de apartamentos, Praia do Flamengo, 322, Rio de Janeiro
1938

Excelentemente projetado para apartamentos medios que ocupam a parte de aluguel mais caro, dando para o mar. Ao longo da estrutura das janelas deslisam as vidraças e as venezianas.

Apartments, rua Bolivar, 97, Rio de Janeiro
Dr. Saldanha, architect, 1940

Windows are shaded by projecting, roll-up wooden blinds, terraces by awnings and concrete grills. The design of the entrances is particularly well handled.

Casa de apartamentos, rua Bolivar, 97, Rio de Janeiro
Dr. Saldanha, arquiteto, 1940

As janelas são protegidas por venezianas corrediças e o terraço por toldos e rótulas de concreto. O desenho das entradas foi particularmente cuidado.

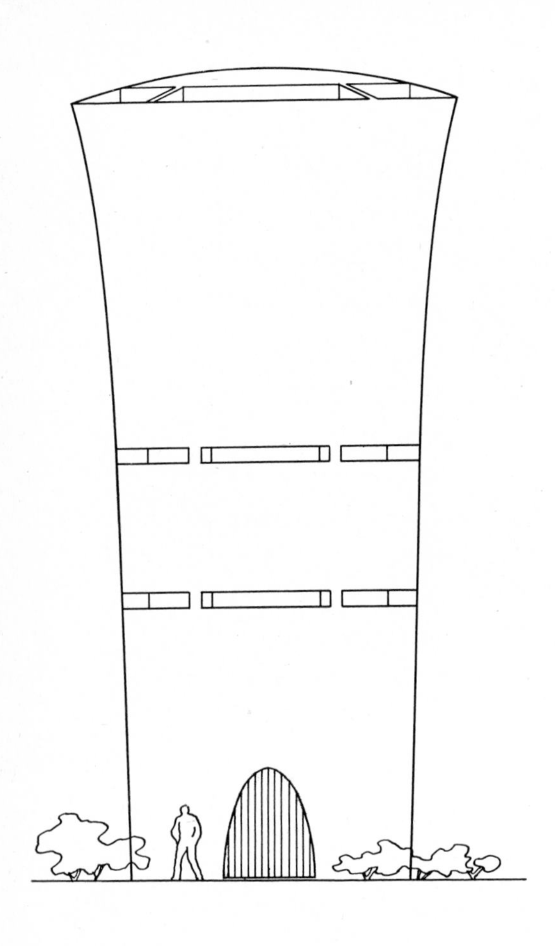

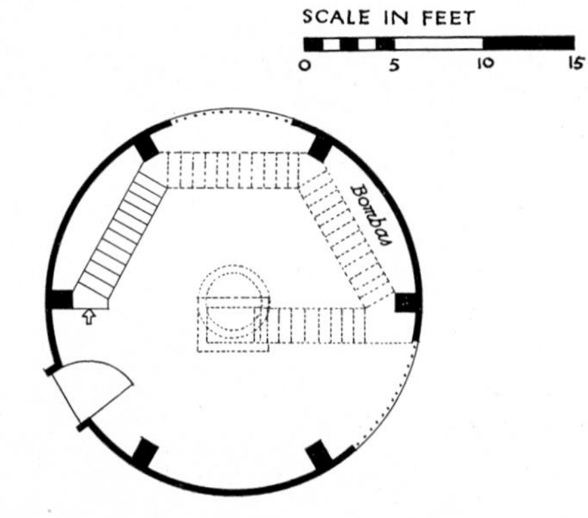

Realengo Workers' Housing
State of Rio de Janeiro
Carlos Frederico Ferreira, architect, with Waldir Leal and Mario H. G. Torres
1942

A large low-rent housing project built by the Institute of Industrial Insurance (page 116).

One-story single-family houses and two-story row houses are dominated by the apartment building shown on the next page.

Water towers are rarely so decorative as the flaring tank planned for Realengo (left).

Casas para operarios no Realengo
Estado do Rio de Janeiro
Carlos Frederico Ferreira, arquiteto, com a colaboração de Waldir Leal e Mario H. G. Torres, 1942

Um grande projeto de casas baratas construidas pelo Instituto dos Industriarios (página 116).

Uma fila de casas de dois andares e as casas de um andar para uma familia são dominadas pelo edificio de apartamentos que se vê à página seguinte.

As torres dagua raramente são tão decorativas como a bonita caixa dagua que se adoptou.

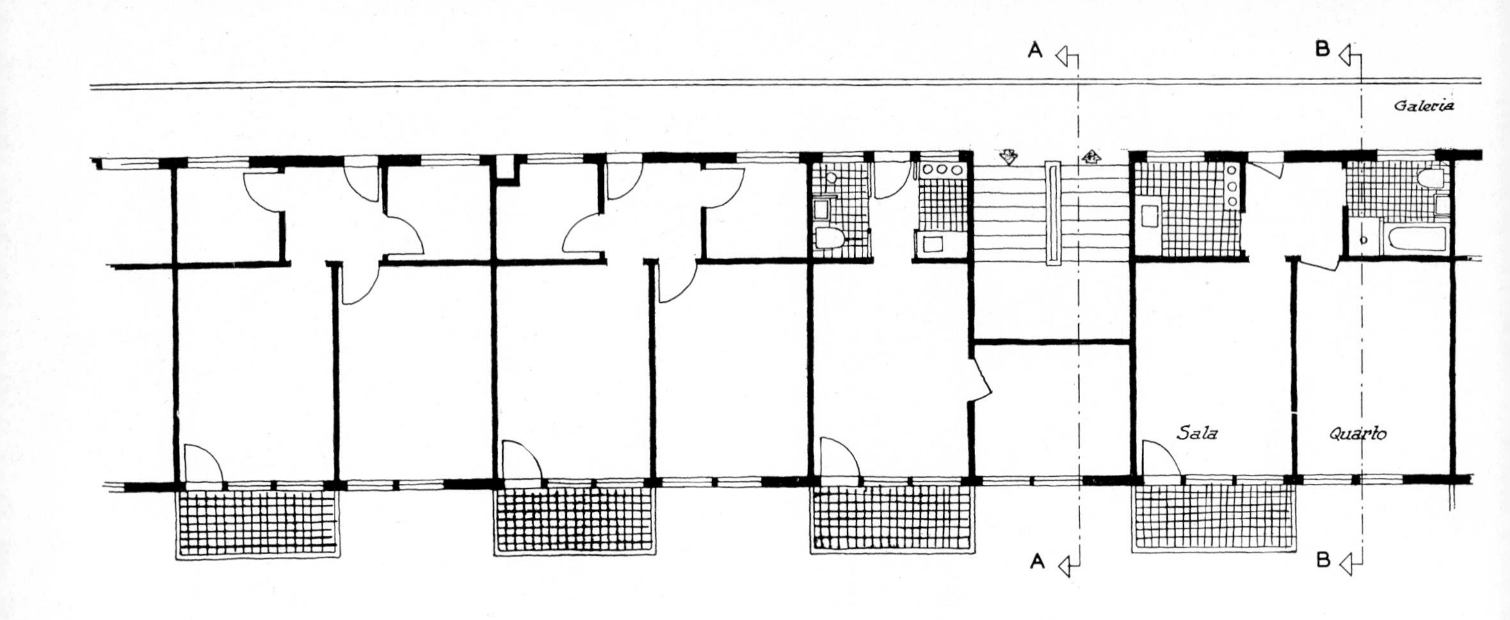

Realengo Workers' Housing

The upper floors contain small apartments accessible from the open galleries. Only the high windows of bathrooms and kitchens open on these galleries. Living and bedrooms face the east.

This type of plan, developed in Europe some years ago, is ideally suited to the Brazilian climate, for it provides each apartment with complete through-ventilation.

Casas para operarios no Realengo

Os andares superiores contêm pequenos apartamentos que dão para galerias abertas. Unicamente as janelas altas das cosinhas e dos banheiros abrem-se para elas. Quartos e salas comunicam-se com o lado éste.

Este tipo de planos, muito desenvolvido na Europa ha alguns anos, adapta-se admiravelmente ao clima do Brasil, pois cada apartamento recebe a mais completa e livre ventilação.

Hotel at Ouro Preto, Minas Gerais
Oscar Niemeyer, architect, 1942

Instead of demanding an imitation of Ouro Preto's 18th century architecture, SPHAN wisely agreed to this distinguished modern building.

Hotel em Ouro Preto, Minas Gerais
Oscar Niemeyer, arquiteto, 1942

Em lugar de exigir uma imitação da arquitetura de Ouro Preto oitocentista, o SPHAN permitiu, clarividentemente, a construção deste distinto predio moderno.

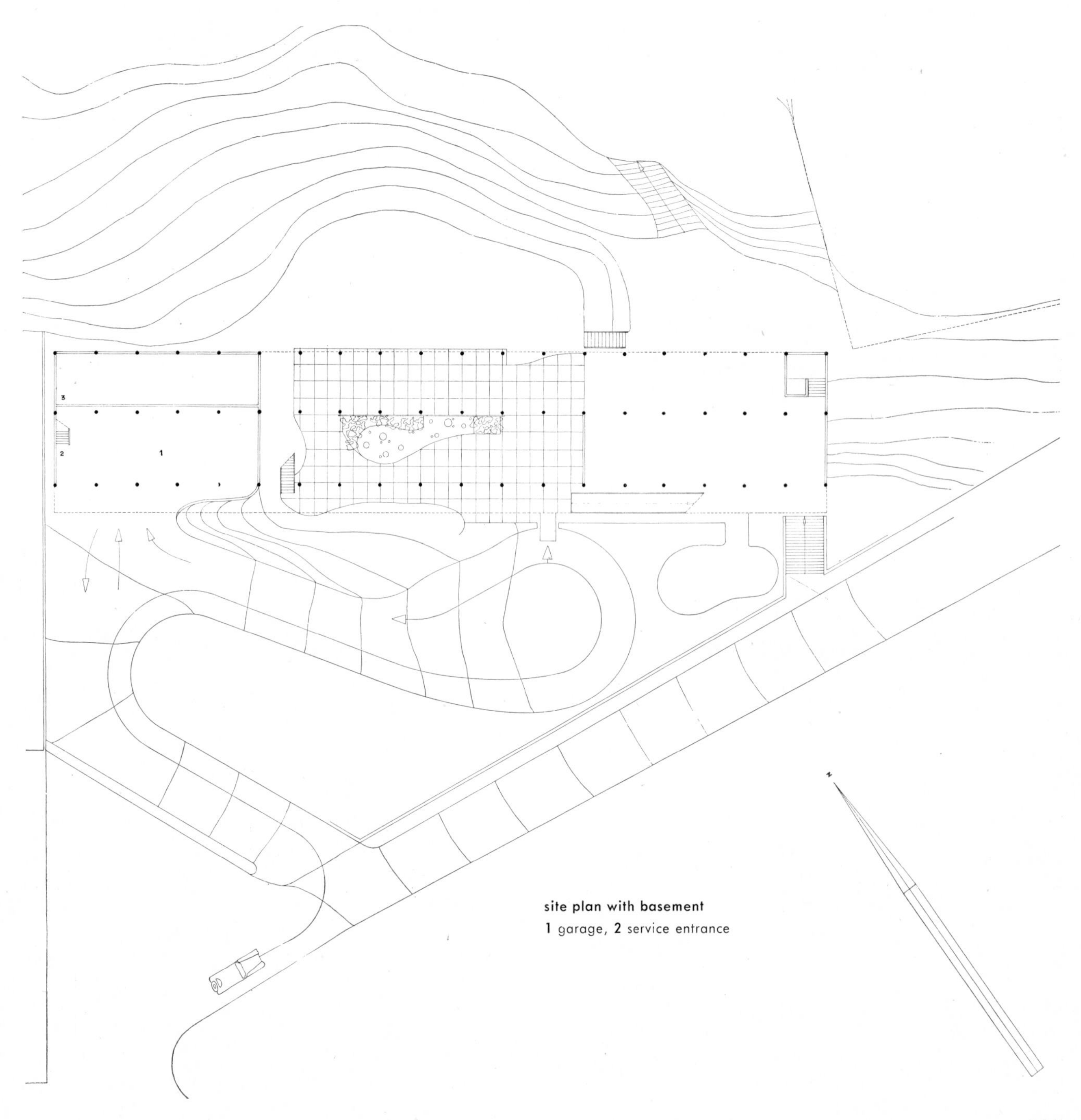

site plan with basement
1 garage, 2 service entrance

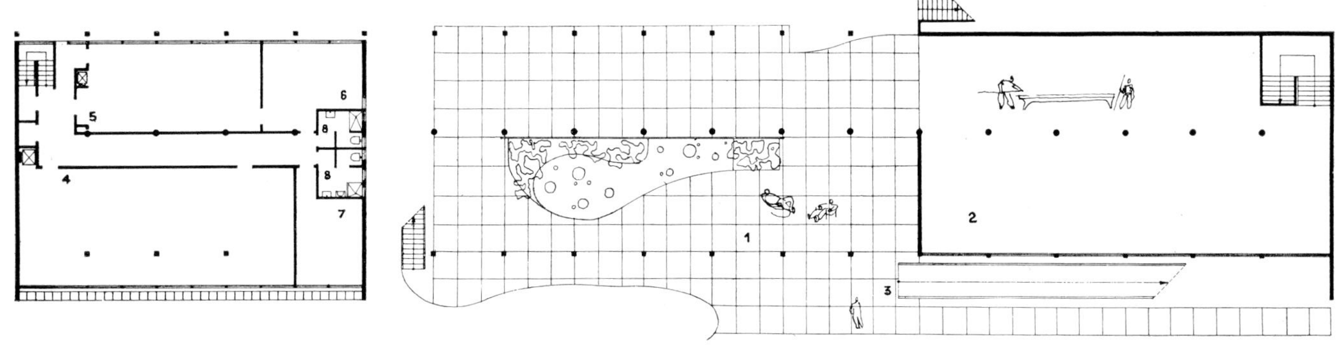

first floor

1 sheltered terrace, 2 game room, 3 ramp, 4 kitchen, 5 laundry, 6-7 servants' rooms, 8 bath

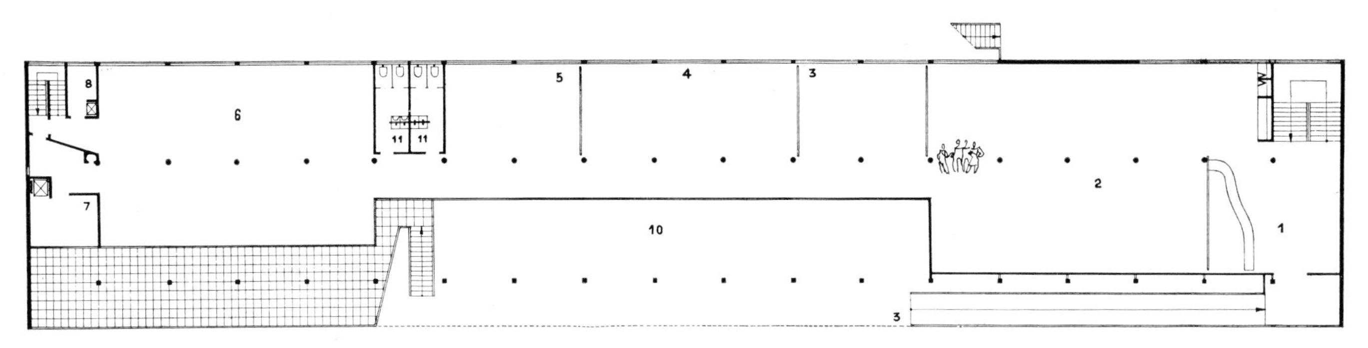

second floor

1 hall, 2 living room, 3 writing room, 4 reading room, 5 displays, 6 dining room, 7 pantry, 8 laundry, 9 terrace, 10 open space, 11 toilets

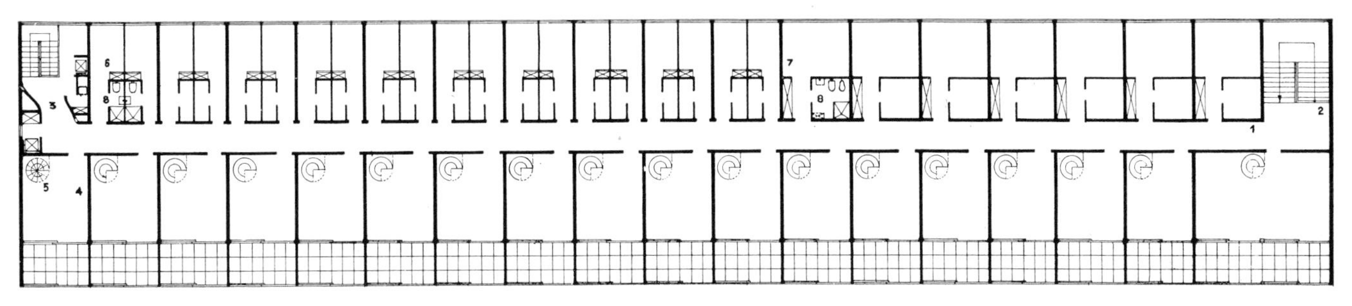

third floor

1 corridor, 2 guest staircase, 3 service stairs, 4 private living room, 5 spiral staircase, 6-7 bedrooms, 8 bath

fourth floor

1 upper part of living room, 2 balcony, 3 bath, 4 bedroom

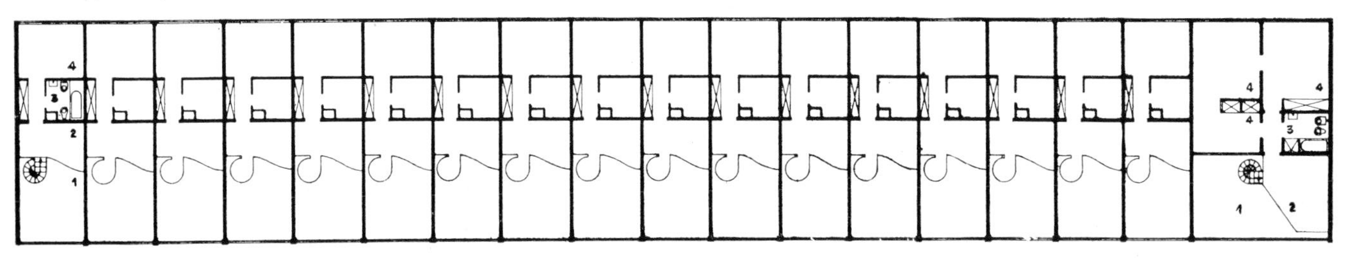

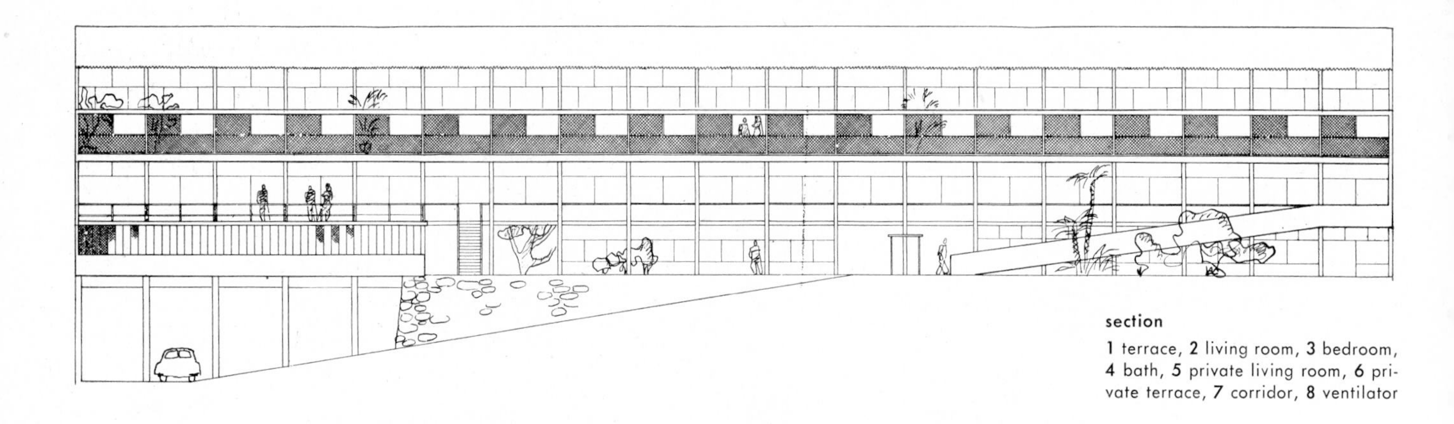

section
1 terrace, 2 living room, 3 bedroom, 4 bath, 5 private living room, 6 private terrace, 7 corridor, 8 ventilator

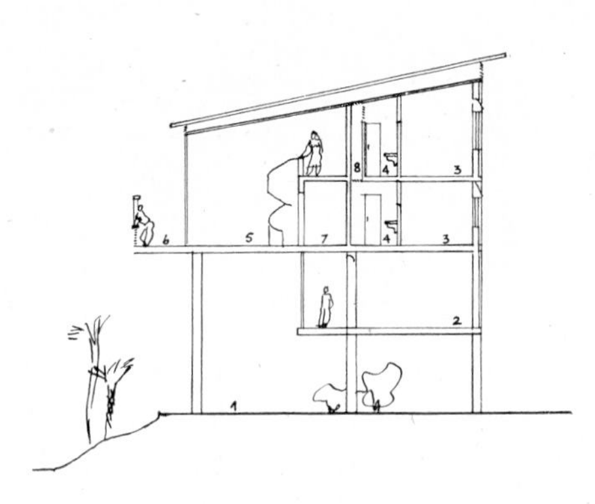

Hotel at Ouro Preto

From the only partially enclosed ground floor a ramp leads to the public rooms on the second floor. Both levels are planned to take advantage of the openness and freedom of wall arrangement permitted by concrete frame construction.

On the northeast side of the third floor corridor is a simple row of bedrooms. On the other side are the two-story living rooms of duplex apartments. Each living room has a latticed terrace and a spiral staircase leading to balcony, bedroom and bath on the floor above. This ingenious scheme saves the space which would ordinarily have been wasted in a fourth floor corridor.

In the view of Ouro Preto on page 49, the hotel (lower left corner) looks very much at home in its 18th century setting. Obvious reasons are the sloping tile roof and the occasional use of Itacolomí stone. Less obviously, it is the design itself, bold in outline and delicate in detail, which has a sympathetic relationship with the native baroque.

Hotel em Ouro Preto

Do andar terreo, fechado apenas em parte, uma rampa leva aos cômodos do segundo andar. A estrutura de concreto da construção permitiu o arranjo das paredes de maneira que ambos os pavimentos pudessem ter sido projetados com o maior aproveitamento possivel de espaço e largueza.

Do lado nordeste do terceiro andar, uma fila de camas. Do outro lado, acham-se as salas de estar, de dois lances, correspondentes a apartamentos duplex. Cada sala de estar dá para um terraço de rótulas e uma escada em espiral para o balcão, quarto de dormir e banheiro, situados no andar superior. Este engenhoso plano poupa o espaço que se perderia num corredor de quarto andar.

No panorama de Ouro Preto, à página 49, o hotel (canto direito, em baixo) coaduna-se bem com o ambiente oitocentista. Por motivos lógicos não se esqueceram a inclinação do telhado e o uso da pedra de Itacolomí. O desenho, de linhas ousadas e pormenores delicados, ostenta bem orientada relação com o baroco local.

Old People's Home, Rio de Janeiro
Pavalo Camargo Almeida, architect

The center photograph shows the street facade with its boldly projecting sun-breaks.

Asilo de Inválidos, Rio de Janeiro
Pavalo Camargo Almeida, arquiteto

A fotografia do centro mostra a fachada da rua com caixas de concreto para protegerem as janelas do sol.

Public Library of the Department of Culture
São Paulo
Jacques Pilon and Matarazzo, architects, with the Municipal Department of Works, 1942

The stacks are vertically arranged in a lofty tower. Whenever more storage space is needed, other floors will be added.

Biblioteca Pública do Departamento de Cultura
São Paulo
Arquitetos: Jacques Pilon, Matarazzo e o Departamento de Obras de Prefeitura Municipal, 1942

A caixa de livros foi projetada verticalmente numa elevada torre que pode ser levantada cada vez que o exijam as necessidades da instituição.

Santa Terezinha Tuberculosis Sanitorium
Salvador, Baía

Reinforced concrete balconies are cantilevered out to give each room its private, sheltered terrace.

Sanatorio de Tuberculosos Santa Terezinha
Salvador, Baía

Balcões reforçados de concreto foram construidos em taboleiro, de maneira a proporcionar a cada quarto um terraço coberto, privativo.

Day Nursery
Gavea, Rio de Janeiro
Oscar Niemeyer, architect

An early Niemeyer work, but nevertheless most successful. The adjustable asbestos blinds are explained on page 86.

Obra do Berço
Gavea, Rio de Janeiro
Oscar Niemeyer, arquiteto

Um dos primeiros trabalhos de Niemeyer, o que de forma alguma lhe diminue o valor. Os parasois ajustaveis, de amianto, vão descritos à página 86.

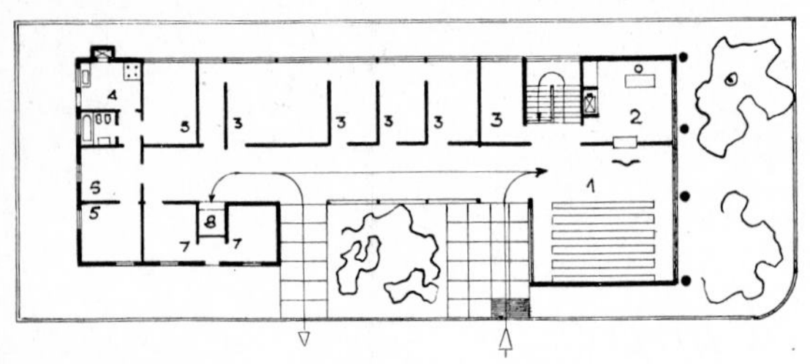

ground floor
1 waiting room, 2 secretary, 3 consultation, 4 kitchen, 5 servant, 6 bath, 7 milk preparation, 8 milk bar

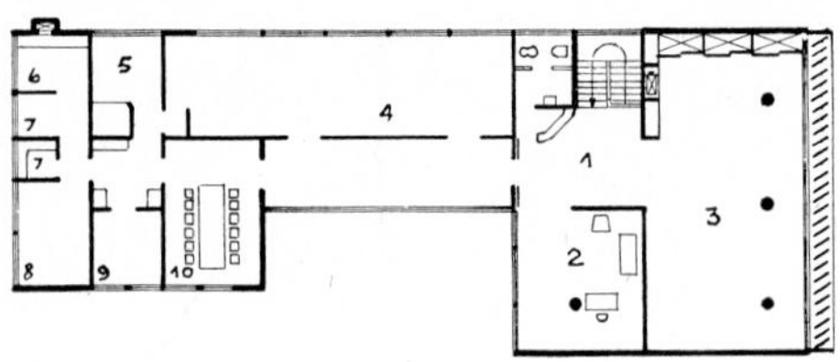

second floor
1 hall, 2 director, 3 sewing room, 4 babies' bedroom, 5 bath, 6 kitchen, 7 storage, 8 nurse, 9 isolation room, 10 refectory

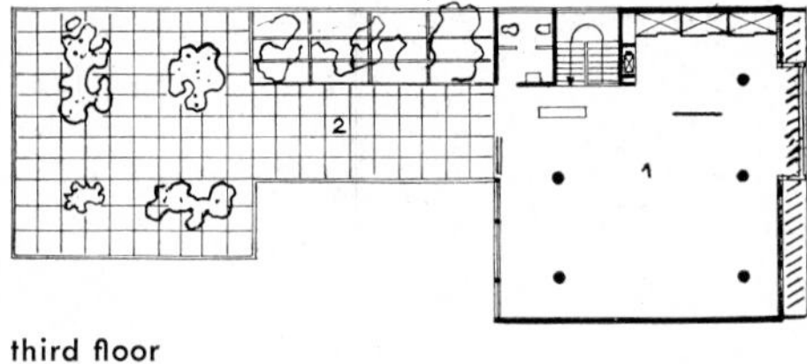

third floor
1 living room, 2 roof garden

Day Nursery, Rio de Janeiro

The building is beautifully planned in relation to both use and climate, and its appearance seems well suited to its function.
The cleanliness and authority suggested by flat white stucco walls and precise geometric forms are relieved by the friendly scale, the easy transition between indoors and outdoors (upper right), and the decorative *chiaroscuro* of the sun blinds.

Obra do Berço, Rio de Janeiro

O edificio foi encantadoramente projetado de acordo já com os seus fins já com o clima, como se vê da propria aparencia.

O asseio e finura sugeridos pelas paredes brancas e as formas geométricas precisas são postos em relevo ainda pelas proporções felizes, a facil transição entre o interior e o exterior (à direita, ao alto) e o decorativo *chiaroscuro* dos quebra-luzes.

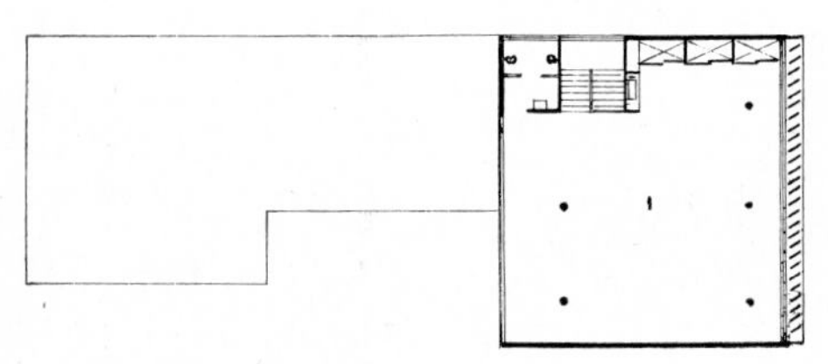

fourth floor
1 multi-use room with movable partitions

OBRA DO BERÇO

Raul Vidal Elementary School
Niteroi, Rio de Janeiro
Alvaro Vital Brazil, architect, 1942

An ordinary building placed on this street corner would have blocked the neighborhood's view over the Rio bay. By elevating the main part of this school, the architect not only provided a pleasantly sheltered terrace for rest and play, but preserved the view.

Only the corridors are on the sunny street side of the building, where tiny windows let in just enough well-tempered light. Classrooms are all on the opposite side (middle left), away from the noise and glare of the street.

A sheltered passage (top left), friendly in scale, leads from this main building to the gymnasium.

Escola primaria Raul Vidal
Niteroi, Rio de Janeiro
Alvaro Vital Brazil, arquiteto, 1942

Um edificio ordinario nesta rua privaria a visinhança da vista sobre a baía de Guanabara. Pela elevação da parte principal do colegio, o arquiteto nem só lançou um lindo e bem abrigado terraço para recreio, mas ainda preservou a vista.

Os corredores unicamente acham-se do lado do sol, que é o da rua. Aí pequenas janelas deixam passar a luz apenas necessaria. As salas de aula estão todas do lado oposto (no meio à esquerda), longe do ruido e do eco da rua.

Uma passagem abrigada (esquerda, ao alto) e de boas proporções une o edificio principal à seção de ginástica.

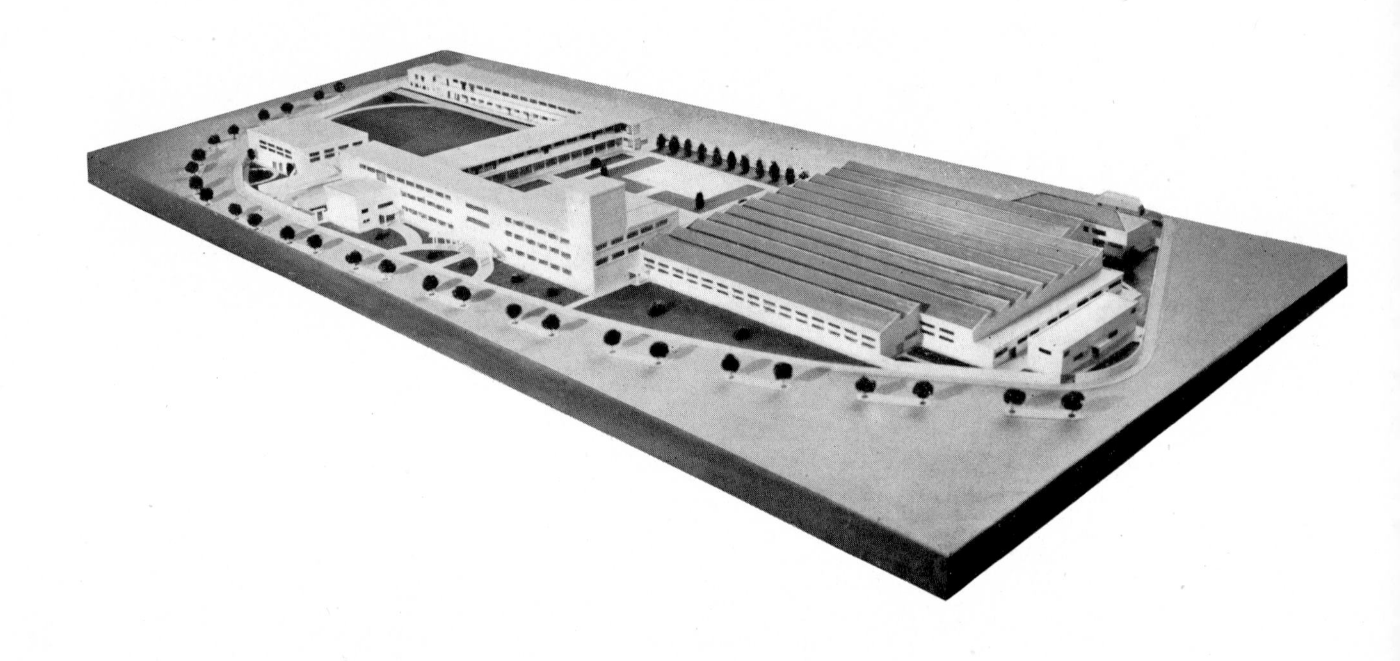

Industrial School
Rio de Janeiro
Carlos Henrique de Oliveira Porto, architect

A colored photograph makes the tropical partiality for white buildings easy to understand. The long horizontals of the open corridors are brilliant against the deep shadows and the green grass. Absence of fussiness in either building or landscaping contributes much to the final effectiveness of the design.

Escola Industrial
Rio de Janeiro
Carlos Henrique de Oliveira Porto, arquiteto

Uma fotografia colorida torna de facil compreensão o significado de um edificio branco num ambiente tropical. As longas horizontais dos corredores abertos destacam-se das sombras escuras do fundo e do gramado verde. A ausencia de complicações em outros predios ou na paisagem contribui muito para o bom efeito do conjunto.

Industrial School, Rio

An elevated row of classrooms provides a shady transition between the two courtyards.

Escola Industrial, Rio

Uma elevada fila de salas de aula proporciona a transição de sombra entre os dois patios.

Normal School
Salvador, Baía

A large, well-planned school designed by a German-trained Brazilian architect and remarkable for its broad open galleries, its airy classrooms, and its attractive swimming pool.

Escola Normal
Salvador, Baía

Uma escola ampla, bem projetada por um arquiteto brasileiro formado na Alemanha. Destaca-se por suas largas galerias abertas, salas de aula bem arejadas e uma atraente piscina.

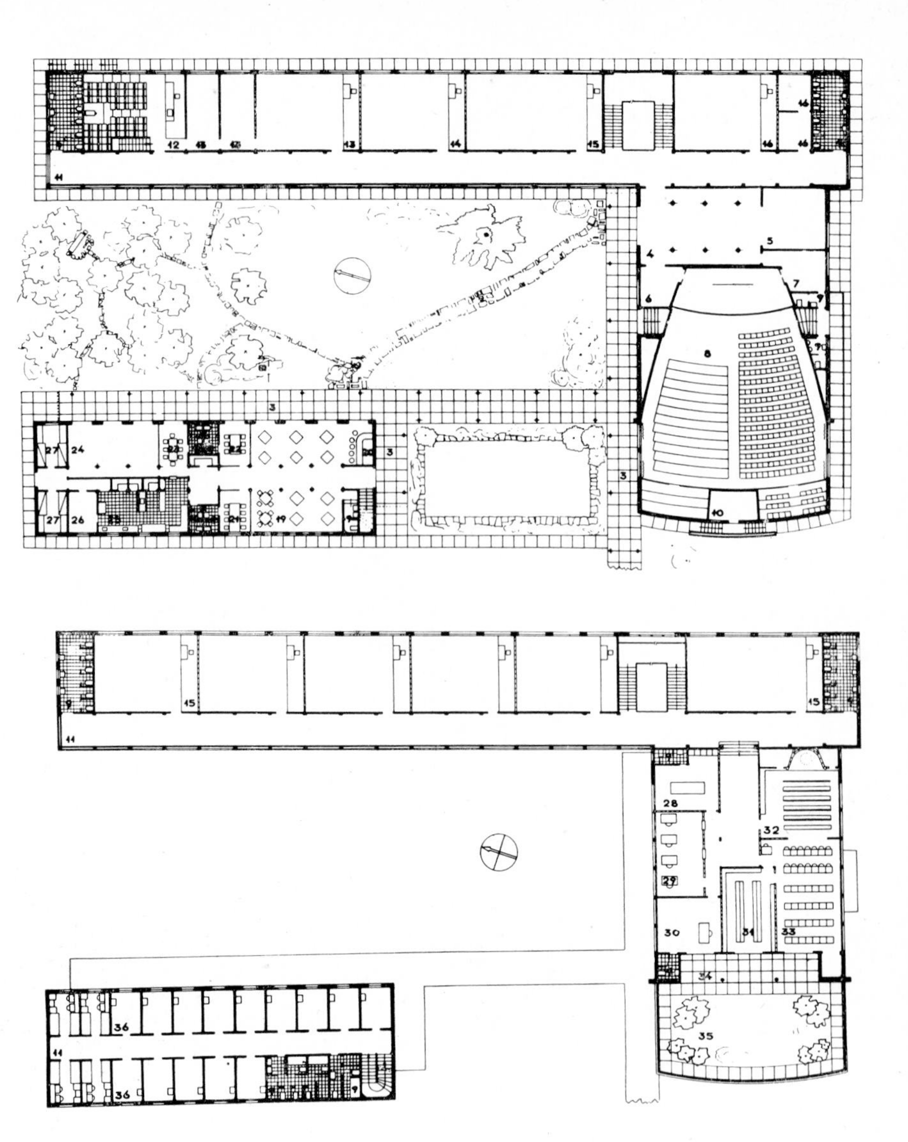

ground floor

3 entrance, 4 waiting room, 5 reception, 8 auditorium, 9 toilets, 10 projection booth, 11 corridor, 12-15 classrooms, 16 storage, 19-23 refectories, 24 living room, 25-27 service

second floor

9 toilets, 11 corridor, 15 classroom, 28 staff room, 29-30 administration, 31 book room, 32 chapel, 33 reading room, 34-35 roof garden, 36 dormitory

"Sedes Sapientiae"
São Paulo
Rino Levi, architect, 1942

The open passage lining two sides of the school court is protected by an unusual concrete canopy. The weightiness of this part of the building makes the airiness of the three-story classroom wing even more emphatic. On the corridor side of this wing, the concrete frame is filled in only with a light concrete grill.

Instituto Superior de Filosofia, Ciencias e Letras "Sedes Sapientiae"
São Paulo
Rino Levi, arquiteto, 1942

A passagem aberta através dois lados do recreio da escola é protegida por uma coberta de concreto pouco comum. A solidez desta parte do edificio faz resaltar ainda mais a leveza dos tres andares onde se acham as salas de aula. No corredor ao lado desta ala, a estrutura de concreto vai cheia apenas de uma leve grade tambem de concreto.

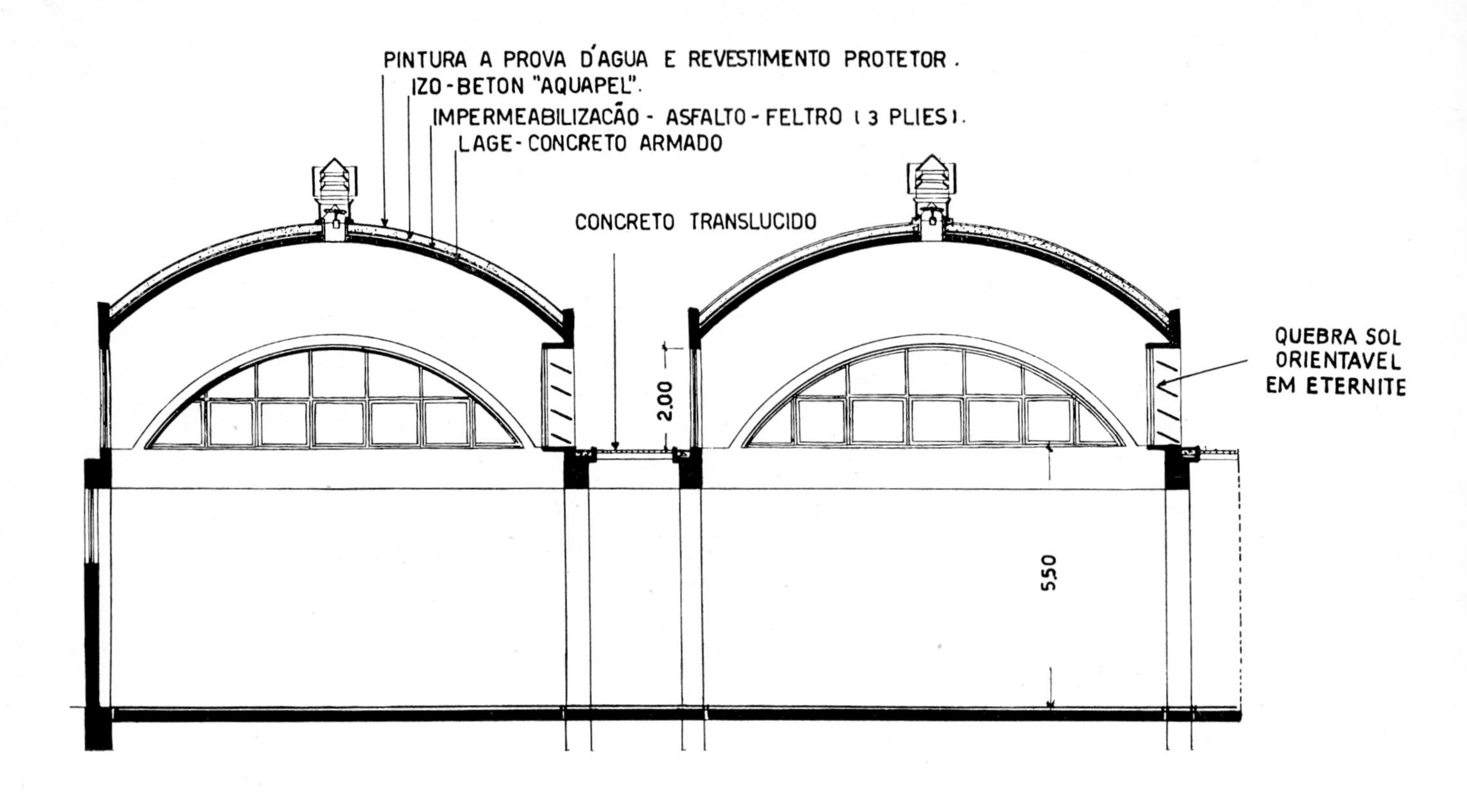

Industrial School
São Paulo
Marcelo and Milton Roberto, architects
1942

Instead of packing all the different parts of the school into one massive, noncommittal block, the architects have worked out a low-spreading, neatly articulated scheme in which each part of the building is sharply defined according to its function.

The drawing above shows the construction of the honeycomb of thin concrete domes which roof the workshops.

Liceu Industrial
São Paulo
Marcelo e Milton Roberto
1942

Em vez de concentrar as diferentes partes da escola num bloco macisso, os arquitetos projetaram uma construção mais baixa, dispersada harmonicamente e articulada de maneira que cada seção ficasse bem definida consoante as funções a que se destina.

O desenho acima mostra a construção com as abóbadas finas de concreto em forma de cortiço e que cobrem as oficinas.

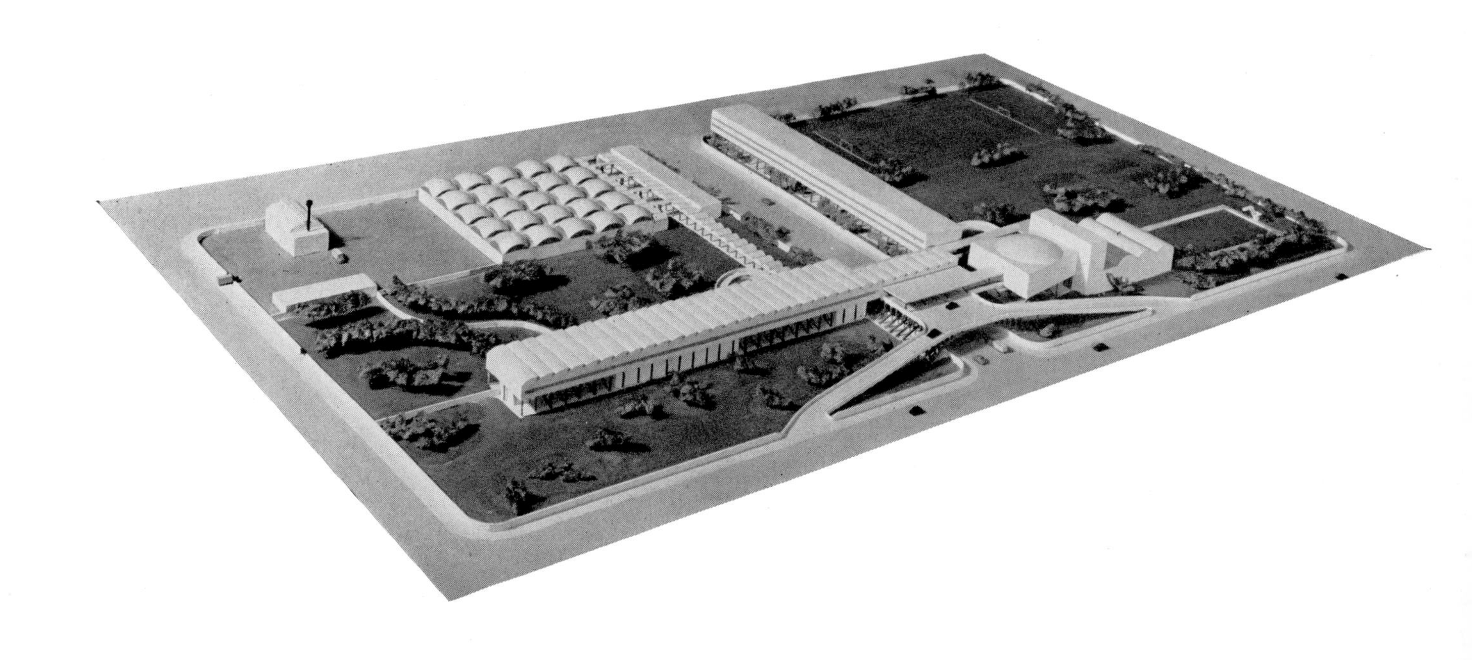

1 ramp, 2 administration, 3 classrooms, 4 workshops, 5 dormitories, 6 auditorium, 7 gymnasium

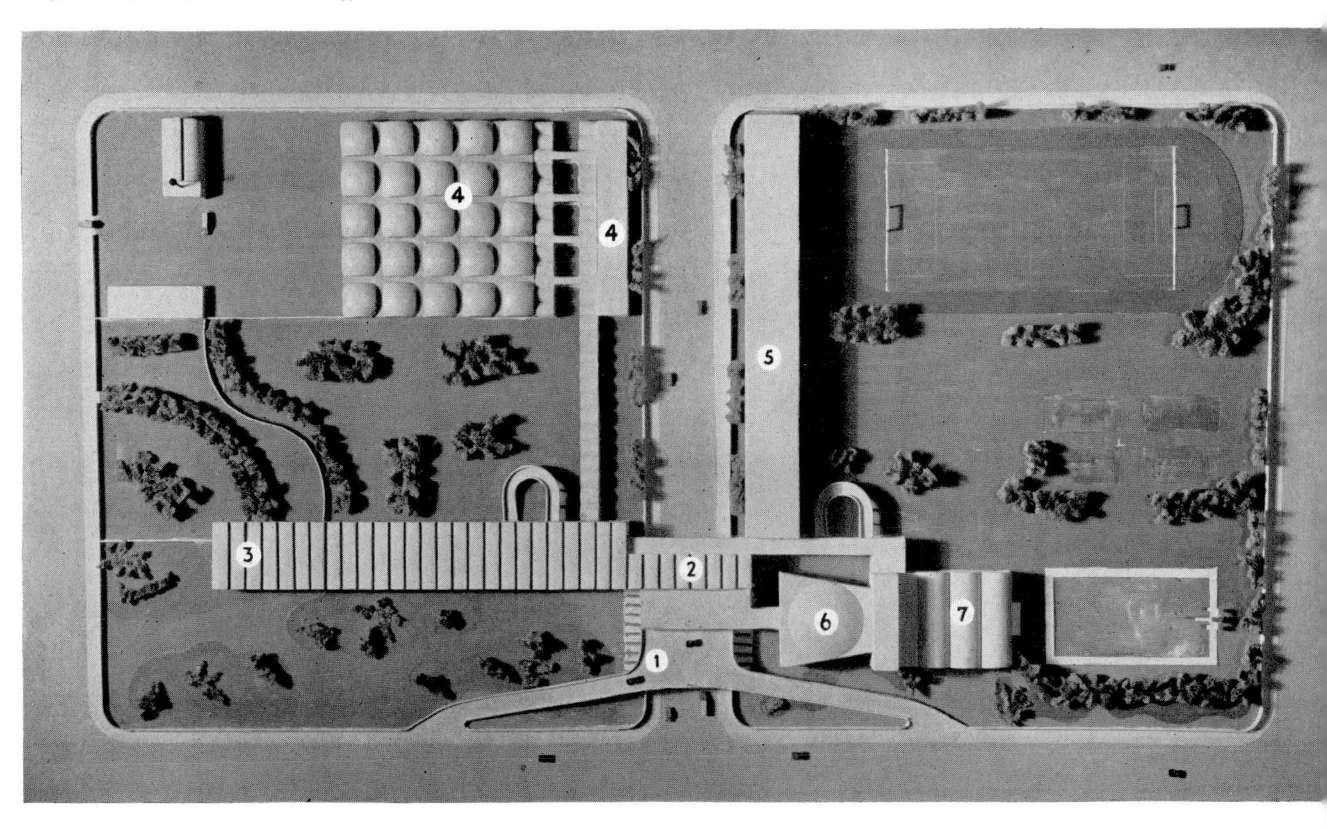

Seaplane Station
Santos Dumont Airport, Rio de Janeiro
Atilio Corrêa Lima, architect, 1940

Situated on filled-in ground at the entrance to Guanabara Bay, this seaplane station will be used for both kinds of planes until the new airplane station by the brothers Roberto is completed.

The building has a reinforced concrete frame and is covered with slabs of yellow travertine imported from Argentina. Inside and outside, elegant spiral concrete staircases lead up to the balcony restaurant.

A light canopy with diagonal steel supports shades the path to the embarcation pier (top left) and the pleasant garden is embellished with a gay little concrete shelter.

Estação para hidro-aviões
Aeroporto Santos Dumont, Rio de Janeiro
Atilio Corrêa Lima, arquiteto, 1940

Situado no aterro sobre a baía Guanabara, este hidroporto será usado por qualquer especie de aeroplanos até que o novo aeroporto, construido pelos irmãos Roberto, esteja pronto.

O edificio tem uma estrutura de cimento armado e é coberto de lages de travertino importado da República Argentina. Dentro e fora, uma elegante escada tambem de concreto e em espiral conduz ao restaurante.

Uma leve coberta com suportes diagonais de aço protege a passagem para o cais de embarque (à extrema esquerda). O jardim está ornamentado de um pequeno refugio de concreto.

Seaplane Station, Rio de Janeiro

The main automobile entrance (lower right) makes no effort to dramatize its own importance, yet has a simple, forthright distinction.

Estação para hidro-aviões, Rio de Janeiro

A principal entrada de automoveis (em baixo, à direita) não precisa de descrição para pôr em relevo a sua importancia, cheia de uma simples e correta distinção.

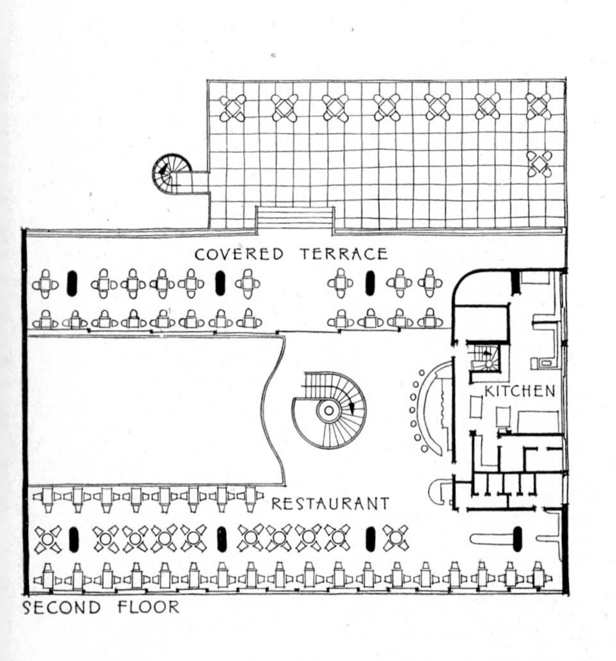

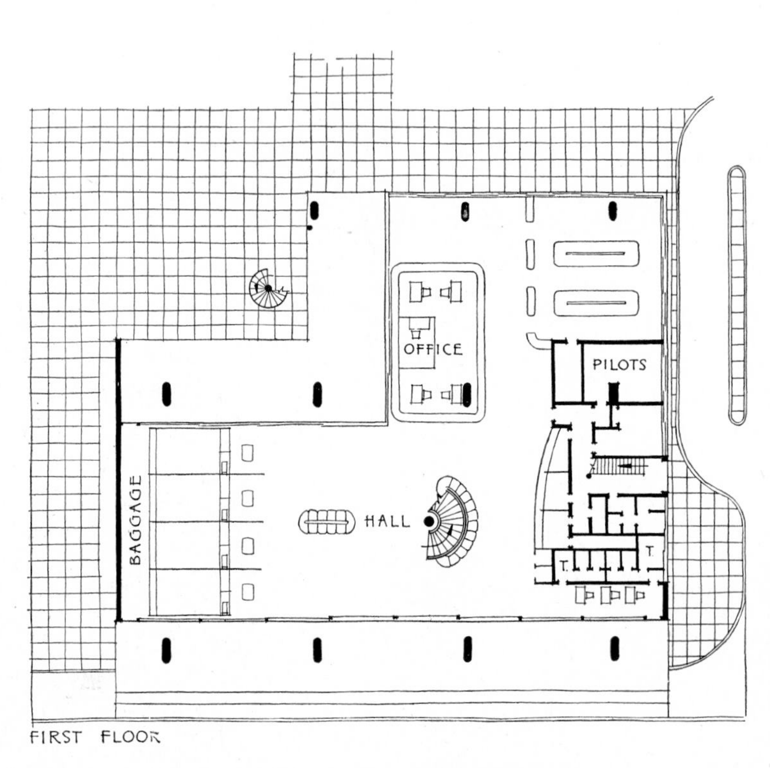

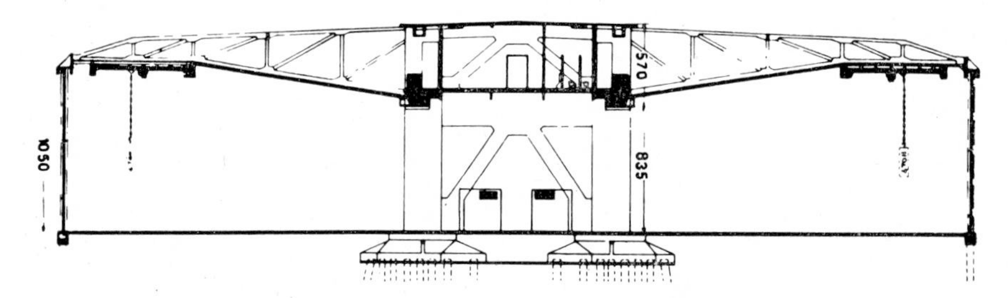

Hangar No. 1, Santos Dumont Airport, Rio de Janeiro
Marcelo and Milton Roberto, architects; Fragoso and Ness, engineers
1940

By cantilevering the roof out from paired concrete columns, the designers were able to make their long walls entirely of sliding doors. The roof is suspended from the under side of the concrete trusses. Between the trusses are the windows of second-floor workshops and store-rooms.

The rectangular main facade with its rows of sunshades has little to do with the unusual construction behind.

Hangar 1, Aeroporto Santos Dumont, Rio de Janeiro
Marcelo e Milton Roberto, arquitetos; Fragoso e Ness, engenheiros
1940

Com teto duplo, em taboleiro, sustentado por duas colunas de concreto, puderam os desenhistas fazer as paredes inteiramente de portas corrediças. O teto é amparado por longarinas de concreto. Entre estas, acham-se as janelas do segundo andar sobre as duas colunas, onde estão instalados oficinas e depósitos.

A fachada principal retangular, com filas de venezianas, quasi nada tem a ver com a construção que se acha por detrás.

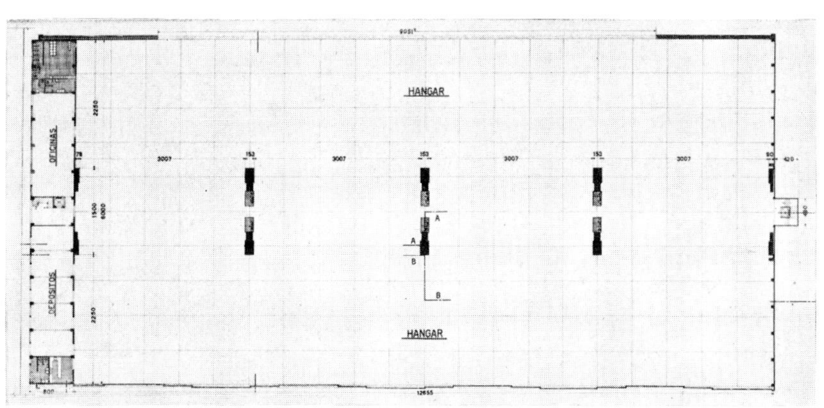

HANGAR
OFICINAS
DEPOSITOS
HANGAR

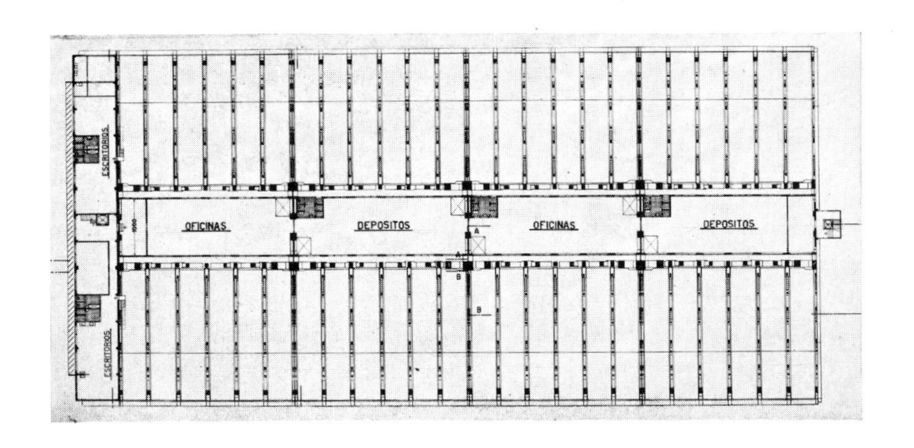

ESCRITORIOS
OFICINAS
DEPOSITOS
OFICINAS
DEPOSITOS
ESCRITORIOS

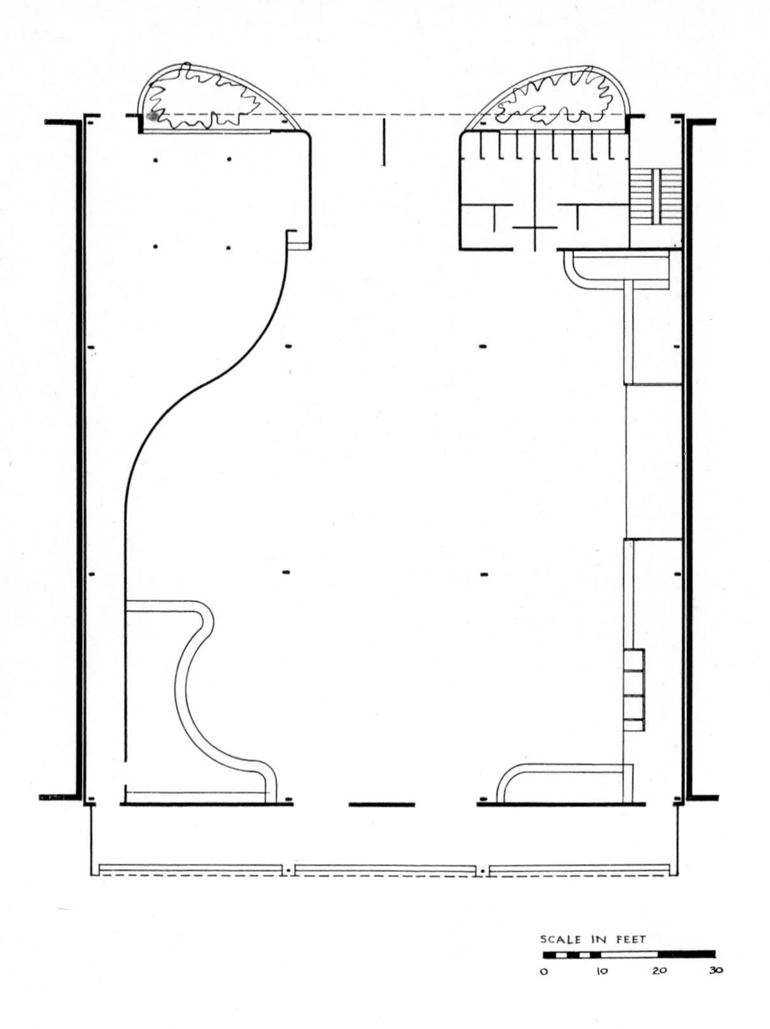

Coastal Boat Passenger Station
Rio de Janeiro
Atilio Corrêa Lima, architect, 1940

The two elevations are very different in character. One has thin concrete arches gaily scalloped across its flat white front. The other, with its rows of movable louvers, is sober and substantial.

Estação de Barcas
Rio de Janeiro
Atilio Corrêa Lima, arquiteto, 1940

As duas fachadas são de carater muito diferente. Uma com arcos de concreto continuos atravessando alegremente a frontaria branca e lisa. A outra com filas de quebra-luzes moveis é sobria e forte.

ESTAÇÃO DE PASSAGEIROS

Water tower at Olinda, Pernambuco

The precise and beautiful tower is rather fake — only part of it is actually used as a tank. The long walls are of *cambogé* or pierced concrete block. The terrace beneath will be used for dancing.

Torre dagua em Olinda, Pernambuco

Apenas uma parte desta bela torre é usada como depósito dagua. Os longos muros são de *cambogé* ou concreto perfurado. O terraço inferior servirá para nele se realizarem bailes ou festivais.

Anatomical Laboratory at Recife, Pernambuco
Saturnino Nunes de Brito, architect, 1940

Again the use of *cambogé* and again the fine contrast between new and old.

Pavilhão de Anatomia Patológica, Recife, Pernambuco
Saturnino Nunes de Brito, arquiteto, 1940

Novamente o uso do *cambogé* e novamente o fino contraste entre o novo e o velho.

Vital Brazil Institute, Niteroi, Rio de Janeiro
Alvaro Vital Brazil and Ademar Marinho, architects, 1942

In addition to the famous Butantã at São Paulo, Brazil now has this handsome new laboratory for the preparation of snake bite serum.

The little windows pierced in the north facade are not for the snakes to look out; they quite prosaically light the corridors behind. The laboratories are on the south side of the building (left). Projected from the main block is the clearly defined mass of the stair-hall.

Instituto Vital Brazil, Niteroi, Rio de Janeiro
Alvaro Vital Brazil e Ademar Marinho, arquitetos, 1942

Como complemento do famoso Butantã de São Paulo, o Brasil possue agora este vistoso laboratorio para a preparação do soro antiofídico.

As pequenas janelas ao longo da fachada voltada para o norte não são para as cobras olharem, mas para iluminar os corredores que ficam atrás. O laboratorio acha-se instalado no lado sul do edificio (à esquerda). Projetando-se do bloco principal, surge claramente delineada a massa da escadaría do vestíbulo.

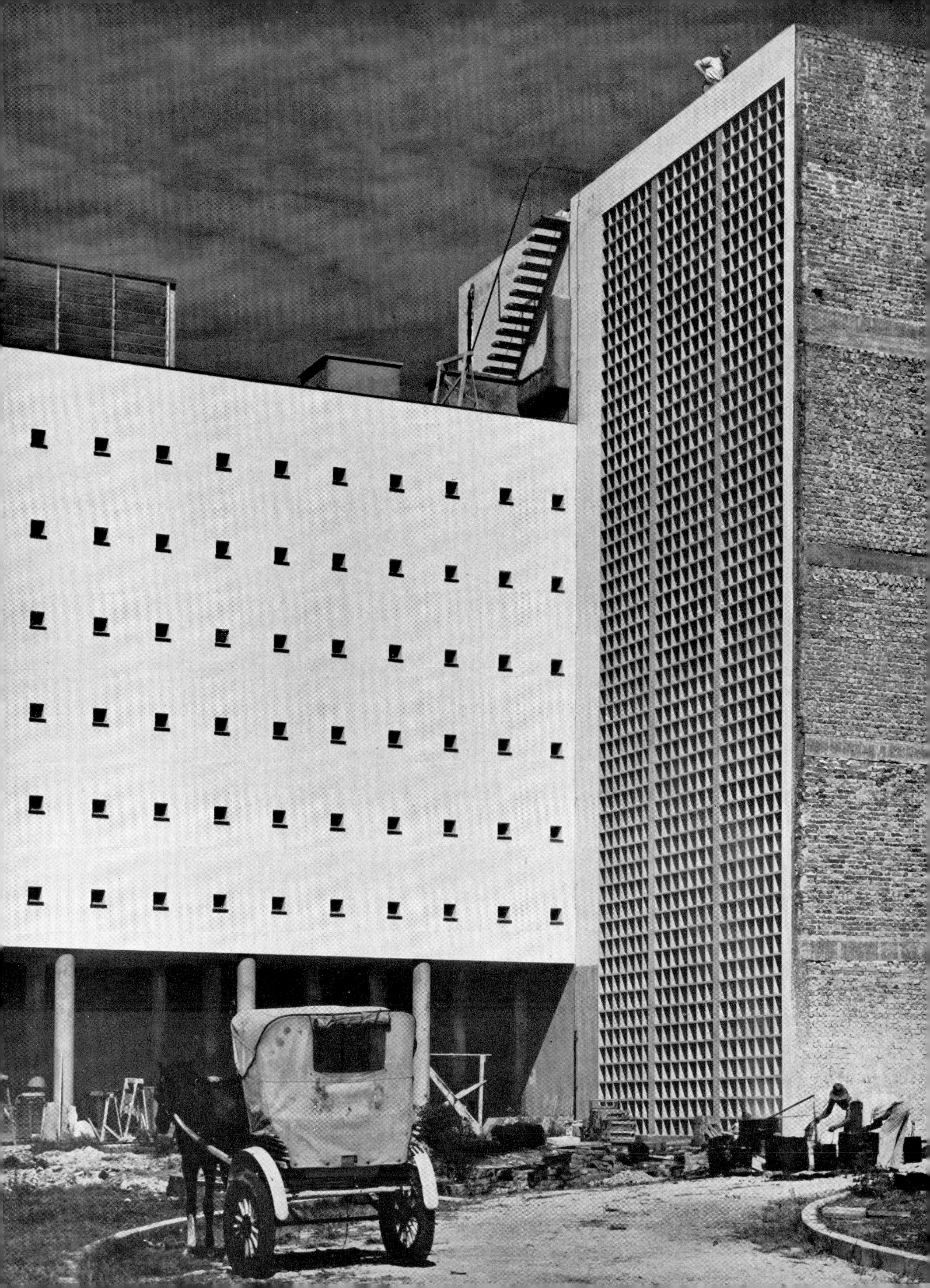

Cavalcanti House
rua Sacopã, 42, Gavea, Rio de Janeiro
Oscar Niemeyer, architect, 1940

Fine proportions and sympathetic materials make this house thoroughly delightful. The service court is enclosed with a wall of beautifully laid small gray stones — unusual and refreshing in Brazilian architecture.

Residencia Cavalcanti
rua Sacopã, 42, Gavea, Rio de Janeiro
Oscar Niemeyer, arquiteto, 1940

Excelentes proporções e material bem escolhido dão a esta casa um encanto particular. O patio de serviço está oculto por um lindo muro de pequenas pedras côr de cinza, pormenor incomum e fresco na arquitetura brasileira.

Cavalcanti House, Rio de Janeiro

Part of the house is raised from the ground on concrete columns. Beneath, thin freely curving screen walls emphasize the entrance and partially enclose garage and veranda.

Residencia Cavalcanti, Rio de Janeiro

Parte desta casa repousa sobre colunas de concreto. Em baixo, paredes delgadas e livremente curvas dão relevo à entrada e ocultam a garage e a varanda.

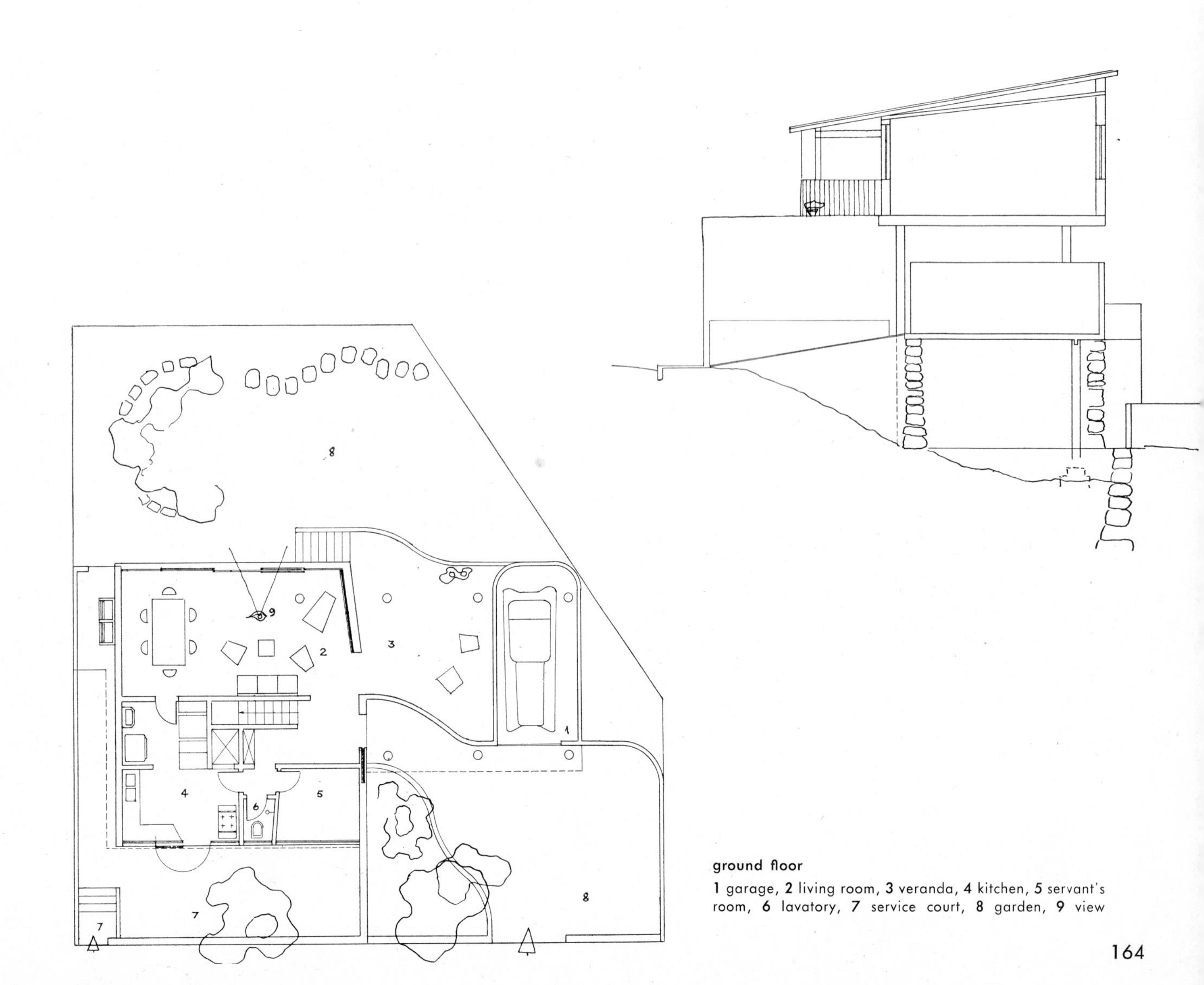

ground floor

1 garage, 2 living room, 3 veranda, 4 kitchen, 5 servant's room, 6 lavatory, 7 service court, 8 garden, 9 view

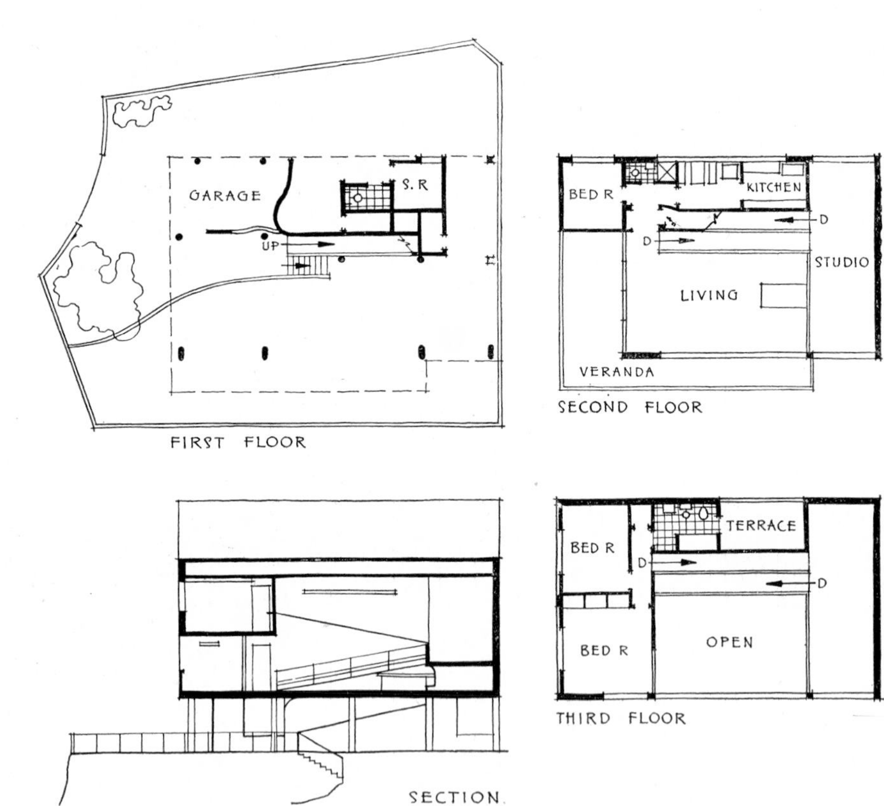

House of the architect
rua Carvalho Azevedo, Gavea, Rio de Janeiro
Oscar Niemeyer, architect, 1942

The house is planned to take advantage of a steep, south-facing site and a wonderful view over the Lagoa Rodrigo de Freitas. It has a reinforced concrete frame, white stucco walls, red tile roof and blue wooden blinds. Ramps take the place of stairs.

Residencia do proprio arquiteto
rua Carvalho Azevedo, Gavea, Rio de Janeiro
Oscar Niemeyer, arquiteto, 1942

O predio foi projetado de maneira a tirar vantagem de uma escarpa voltada para o sul, fazendo frente a uma lindissima vista sobre a Lagoa Rodrigo de Freitas. Tem estrutura de cimento armado, paredes brancas, telhas portuguesas e venezianas azues, de madeira. As rampas substituem as escadas.

Johnson House, Fortaleza, Ceará
Oscar Niemeyer, architect, 1942

One of the countless products of rich Brazil is a fine wax found in the state of Ceará, five degrees below the Equator. An American manufacturer of wax products, Herbert Johnson, has had this interesting house built as a residence for his permanent agent as well as for his own use on occasional visits to Brazil. The house takes every advantage of the strong, steady breezes which temper the warm sun of Fortaleza. The living rooms are nothing but great verandas shaded by Venetian blinds. The better to catch the air, they are raised above the ground.

Mr. Johnson chooses his architects wisely. Illustrated below is his home in Racine, Wisconsin, designed by the famous architect, Frank Lloyd Wright.

Casa Johnson, Fortaleza, Ceará
Oscar Niemeyer, arquiteto, 1942

Um dos excelentes produtos do Brasil tão rico deles é a fina cera de carnauba, originaria principalmente do Ceará, a cinco graus abaixo do Equador. Um industrial norte-americano especialista em produtos de cera, Herbert Johnson, construiu esta interessante casa para residencia do representante e a propria quando de suas visitas periódicas ao Brasil. A casa aproveita todas as vantagens da brisa marinha que tempera o sol quente de Fortaleza. As salas de estar abrem-se para uma grande varanda, protegida por venezianas.

Herbert Johnson escolhe os seus arquitetos admiravelmente. A figura em baixo representa a casa do mesmo proprietario em Racine, no Estado de Wisconsin, Estados Unidos, projetada pelo famoso arquiteto Frank Lloyd Wright.

main floor

1 entrance, 2 living room, 3 veranda, 4 kitchen, 5 lavatory, 6 open space over swimming pool

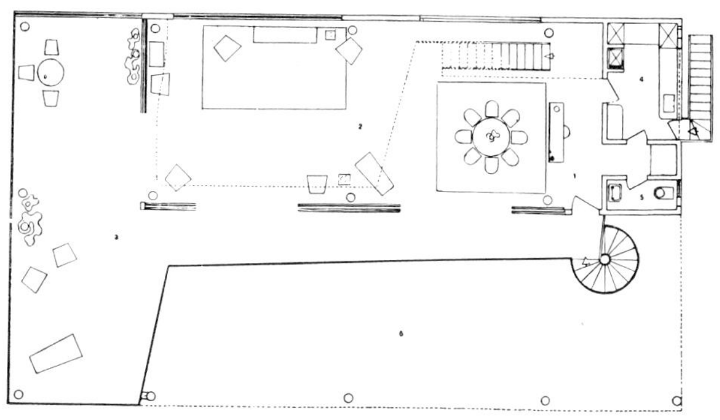

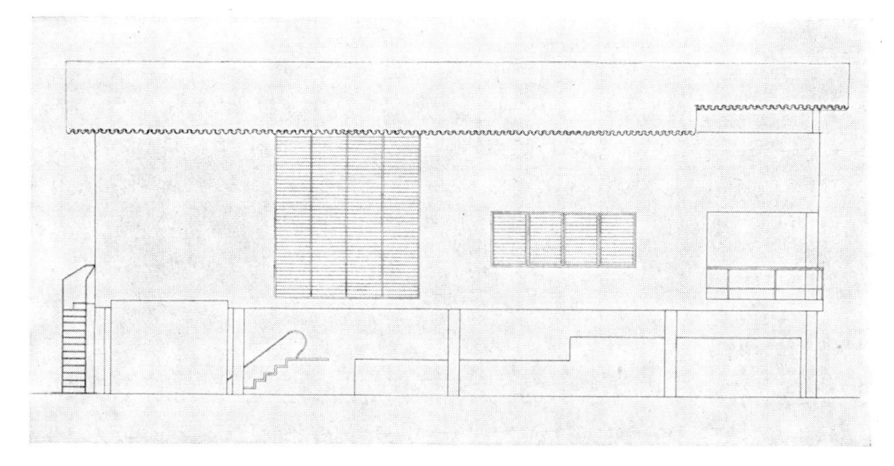

João Arnstein House, rua Canadá, 714, São Paulo
Bernard Rudofsky, architect, 1941

Call it house, pavilion, or pleasure dome of Xanadú, the Arnstein family has about as lovely a place to live in as could be found in the Americas. It is a splendid house, large enough to permit play of invention in the plan, yet not too large for present-day living conditions.

The plan on page 173 tells the story of this unusual house better than any description. Each of the spreading wings is planned for a specific purpose and each part has its accompanying outdoor room. Shown at upper right is the broad, sheltered terrace in front of the living room, while the illustrations at left (top and bottom) are views out into this outdoor living court. Illustrated at lower right and center left is the sunny court which opens from the master bedroom.

The combination of spacious, high rooms, separated from outdoors only by sliding glass doors, and shady garden courts is completely successful. Unlike many modern houses, the interior is furnished with great taste in its own contemporary style.

Residencia João Arnstein, rua Canadá, 714, São Paulo
Bernard Rudofsky, arquiteto, 1941

Casa, pavilhão ou residencia de recreio Xanadú, a familia Arnstein possue uma propriedade tão encantadora quanto o podia ser nas Américas. Moradia esplêndida, bastante espaçosa para permitir que a imaginação se espraiasse por seu plano, mas não demasiado ampla para as atuais condições de vida.

A planta, à página 173, conta a historia desta casa original melhor do que qualquer descrição. Cada expansão de suas alas foi estudada consoante um fim determinado e cada parte possue uma porta exterior. À extrema direita, o amplo e abrigado terraço fronteiro à sala de estar. As ilustrações à esquerda (ao alto e em baixo) são duas vistas exteriores desse alpendre. À direita, em baixo, e, à esquerda, no centro, o patio ensolarado para o qual dá o principal quarto de dormir.

A combinação de espaço, quartos largos separados do exterior sómente por portas de vidro corrediças e pequenas areas ajardinadas cheias de sombra, deram o melhor e mais completo resultado. Diferente de muitas casas modernas, o interior é mobilado com grande gosto de acordo com o estilo arquitetônico.

João Arnstein House, São Paulo

In summer the living court is gorgeous, hung with vines and orchids. Above (right) is a view through the orchid arbor and the gate to the bedroom court.

The reinforced concrete structure is supported on piles, as the site was formerly a swamp. Occasional walls are of brick. The low pitched roofs are covered with hand-made tiles. The windows, and many of the doors, are of plate glass in sliding steel sash. Floors are made of sixteen by sixteen inch solid wooden panels treated against termites; in the kitchen and bathrooms, floors are terrazzo laid with aluminum joints. Roman travertine and porphyry are used for window trim.

Residencia João Arnstein, São Paulo

Durante o verão, o patio da sala de estar torna-se atraente com suas parreiras e orquideas, cujo viveiro ai situado e dando para a area do quarto de dormir se vê ao alto, à direita.

A estrutura de cimento armado repousa sobre estacas devido à natureza pantanosa do terreno. Algumas paredes são de tijolo e o telhado, levemente inclinado, coberto com telhas feitas a mão; janelas e algumas portas corrediças de vidros lisos. Os assoalhos de madeira foram feitos à prova do cupim. Janelas ornamentadas de travertino romano e pórfiro.

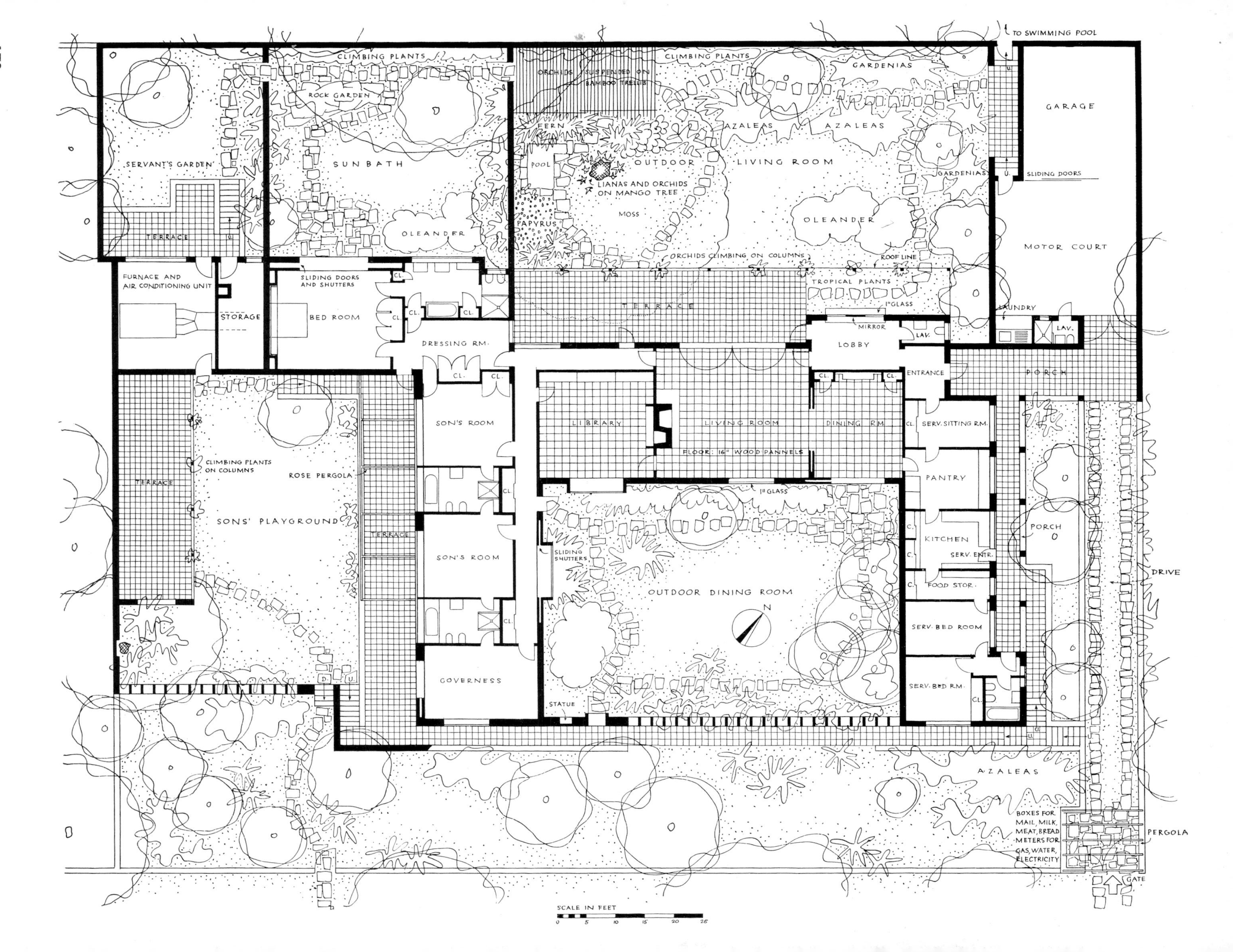
TO SWIMMING POOL
CLIMBING PLANTS
CLIMBING PLANTS
ORCHIDS SUSPENDED ON BAMBOO TRELLIS
GARDENIAS
ROCK GARDEN
GARAGE
FERN
AZALEAS
AZALEAS
SERVANT'S GARDEN
SUN BATH
POOL
OUTDOOR
LIVING ROOM
GARDENIAS
SLIDING DOORS
LIANAS AND ORCHIDS ON MANGO TREE
MOSS
PAPYRUS
OLEANDER
OLEANDER
TERRACE
MOTOR COURT
ORCHIDS CLIMBING ON COLUMNS
ROOF LINE
FURNACE AND AIR CONDITIONING UNIT
SLIDING DOORS AND SHUTTERS
TROPICAL PLANTS
CL.
TERRACE
1" GLASS
LAUNDRY
STORAGE
BED ROOM
CL.
CL.
CL.
MIRROR
LAV.
LAV.
DRESSING RM.
LOBBY
CL.
CL.
ENTRANCE
PORCH
CL.
CL.
SON'S ROOM
LIBRARY
LIVING ROOM
DINING RM.
CL.
SERV. SITTING RM.
FLOOR: 16" WOOD PANNELS
CLIMBING PLANTS ON COLUMNS
TERRACE
ROSE PERGOLA
CL.
PANTRY
1" GLASS
SONS' PLAYGROUND
TERRACE
PORCH
C.
KITCHEN
SON'S ROOM
SLIDING SHUTTERS
C.
SERV. ENTR.
DRIVE
C.
FOOD STOR.
OUTDOOR DINING ROOM
N
CL.
SERV. BED ROOM
GOVERNESS
SERV. BED RM.
CL.
STATUE
D.
U.
AZALEAS
BOXES FOR MAIL, MILK, MEAT, BREAD
METERS FOR GAS, WATER, ELECTRICITY
PERGOLA
GATE
SCALE IN FEET
0 5 10 15 20 25

Frontini House, rua Monte Alegre, 957, São Paulo
Bernard Rudofsky, architect, 1940–1941

No high solid wall shuts out this severely simple house from the street, but screens of varied heights and types, part pierced, part lattice, admit views of the wide garden space on two sides of the main building (see page 98). At the back is a shallow bathing pool for children (left center).

Striking feature of the interior is a two-storied court (left, top and bottom), shaded by a feathery oleander planted in the stone paving. Corridors on both levels look out upon it.

A thirty-five foot steel and plate glass sliding door (right) opens from the living rooms to the lawn.

Residencia Frontini, rua Monte Alegre, 957, São Paulo
Bernard Rudofsky, arquiteto, 1940–1941

Nenhum muro isola esta casa severa e simples da rua, mas divisões apenas de altura e tipo variados, algumas perfuradas algumas gradeadas, permitindo a vista para o grande jardim em ambos os lados do edificio principal (ver pg. 98). Nos fundos, uma piscina rasa para crianças (centro, à esquerda). No interior, destaca-se um patio de dois andares (no alto, e mais abaixo, à esquerda) que recebe a sombra de um loureiro plantado no solo calçado de pedra. Os corredores de ambos os pavimentos dão para esta area.

Uma porta corrediça de vidro e aço de cerca de dez metros (à direita) abre-se da sala de estar para o jardim gramado.

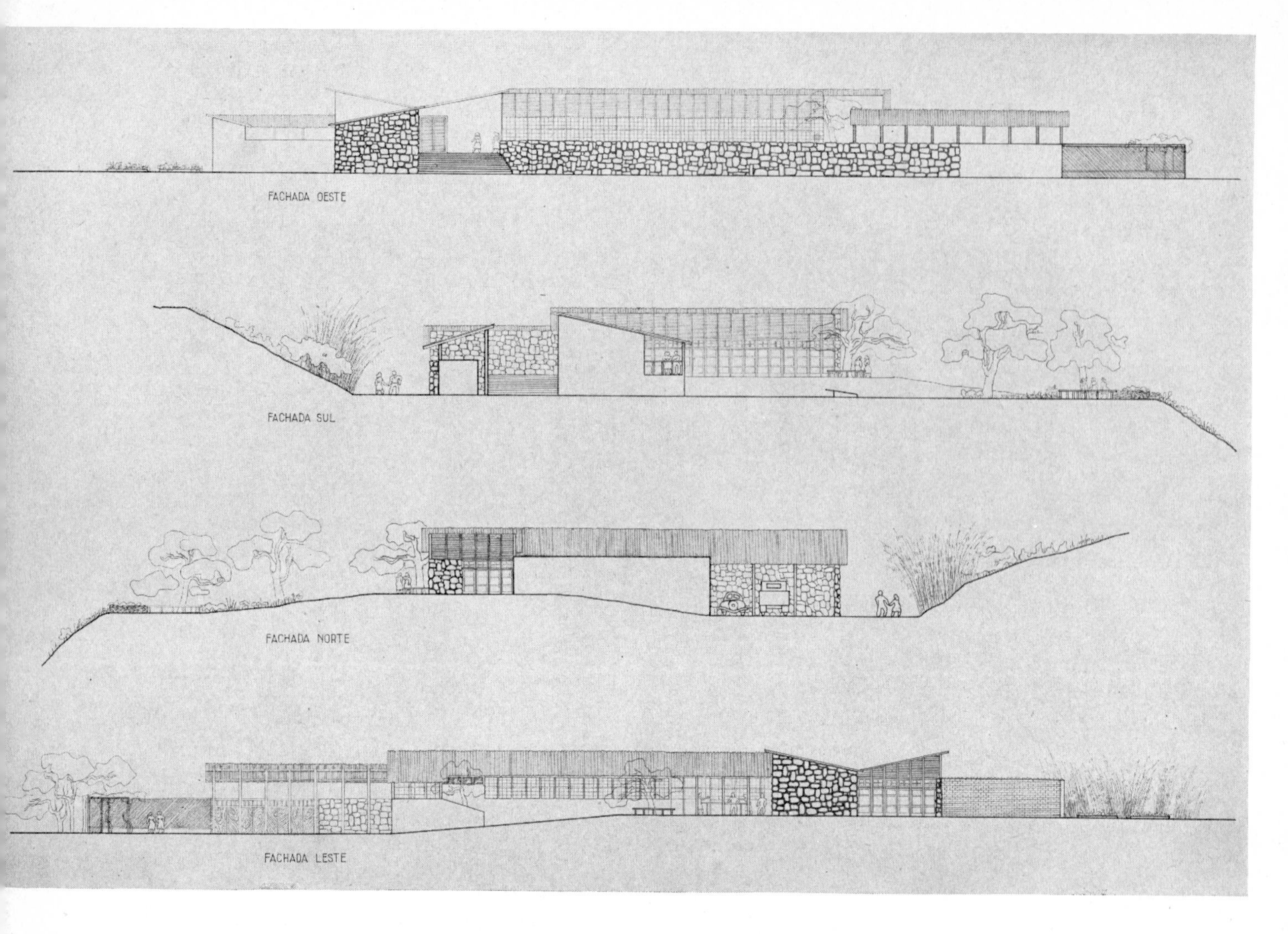

Fazenda São Luis
Hermenegildo Sotto Maior House, Secretario, State of Rio de Janeiro
Aldary Henriques Toledo, architect, 1942

This country place on Lake Arauama to the east of Niteroi is designed for holiday use and provides every facility for delightful outdoor living. The house is built about an irregular ornamental pool and a garden informally planted with native flowers. The service portion has its own courtyard, away from the masters' portion of the house. Walls are of fieldstone, glass, or wood screens, each material used with propriety.

Fazenda São Luis
Residencia Hermenegildo Sotto Maior, Secretario, Estado do Rio de Janeiro
Aldary Henriques Toledo, arquiteto, 1942

Esta casa de campo em Lago Arauama, a léste de Niteroi, foi construida para repouso e está dotada de todas as facilidades para a vida ao ar livre. A casa foi erigida perto de uma piscina decorativa irregular e de um jardim natural de flores nativas. As dependencias de serviço estão separadas por uma area que divide as duas seções da moradia. Paredes de pedra e tabiques de vidro ou madeira. Os diferentes materiais foram empregados com admiravel propriedade.

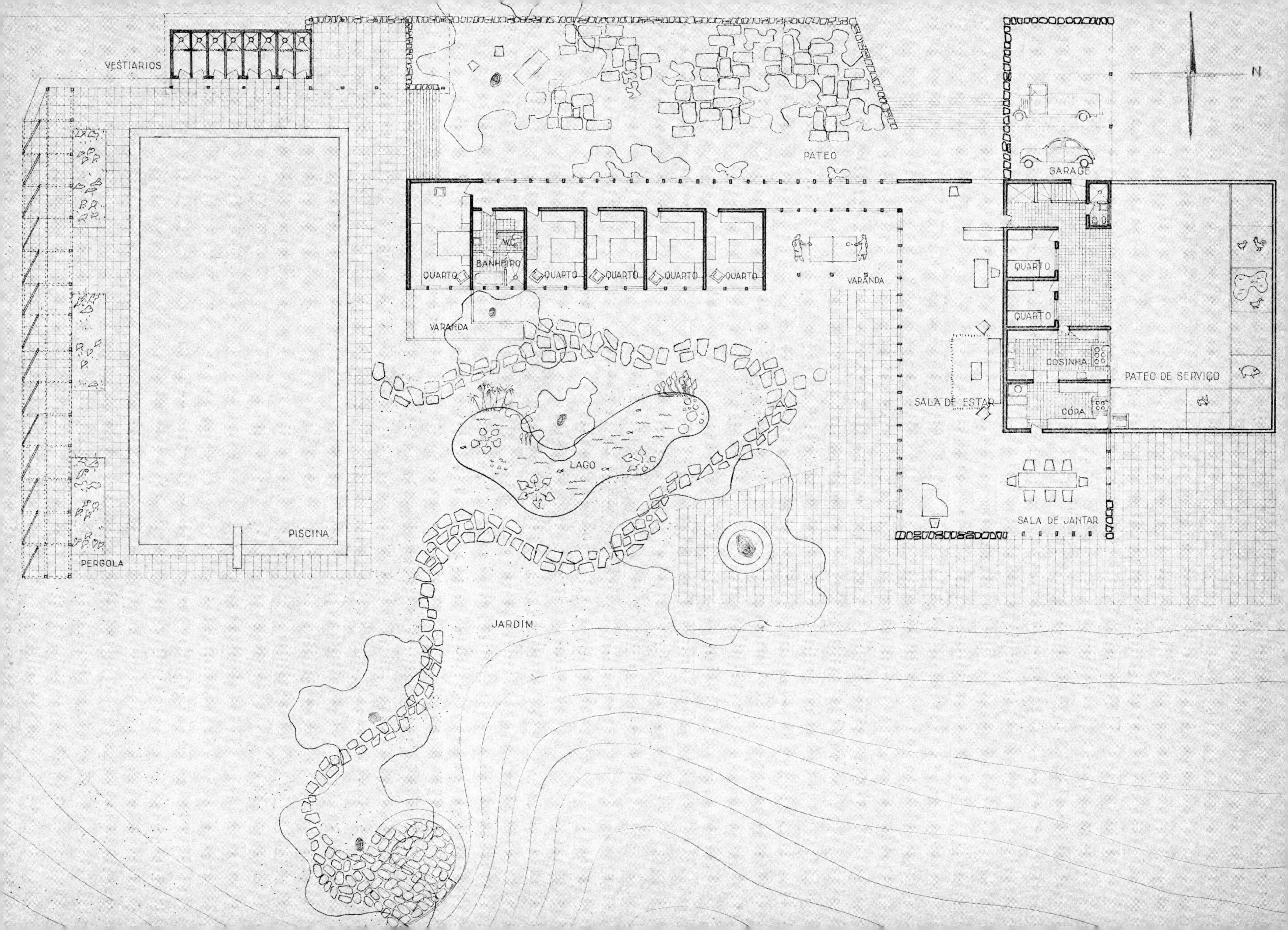
N
VESTIARIOS
PATEO
GARAGE
QUARTO
BANHEIRO
WC
QUARTO
QUARTO
QUARTO
QUARTO
VARANDA
QUARTO
QUARTO
VARANDA
COSINHA
PATEO DE SERVIÇO
SALA DE ESTAR
COPA
LAGO
PISCINA
SALA DE JANTAR
PERGOLA
JARDIM

An early modern house in São Paulo by H. E. Mindlin, who recently won the competition for an addition to the Ministry of Foreign Affairs.

Uma casa moderna construida em São Paulo por H. E. Mindlin, arquiteto que ganhou recentemente a concorrencia para uma ampliação no Ministerio das Relações Exteriores.

This house by Gregori Warchavchik is usually considered to have been the first modern house in São Paulo.

Esta construção de Gregori Warchavchik é, geralmente, considerada a primeira casa moderna construida em São Paulo.

House for Dr. Arthur Moura
rua Visconde Albuquerque, 275, Recife, Pernambuco
José Norberto, architect, 1940

The small suburban garden is as pleasant and as thoroughly contemporary as the house itself.

Casa do dr. Arthur Moura
rua Visconde Albuquerque, 275, Recife, Pernambuco
José Norberto, arquiteto, 1940

O pequeno jardim suburbano é tão agradavel como contemporaneo à propria casa.

The modern highway to the new city of Belo Horizonte required a great deal of digging and filling. These dramatic stalagmites, shaded from deep red at the top to pale yellow at the base, are actually cones of earth left by the contractor as temporary proof of the amount of his excavation. The tip of each cone shows the original ground level.

A estrada moderna que leva à cidade de Belo Horizonte exigiu grande quantidade de cortes e aterros. Estas curiosas estalagmites, cuja tonalidade vai desde o vermelho escuro do topo ao amarelo palido da base, não passam de marcos deixados pelo empreiteiro como referencia temporaria do movimento de terra. A extremidade de cada marco mostra o nivel natural do terreno.

Casino, Pampulha, Belo Horizonte, Minas Gerais
Oscar Niemeyer, architect, 1942

As one approaches the suburb of Pampulha one sees the Casino standing on a small mound jutting out into the artificial lake. The airy cage rests its round supports of different heights on the sloping sides of the hill. One can look right through the glass and see clouds and water and mountains beyond.

Under a gracefully curved extension of the entrance canopy, a semi-recumbent bronze figure by Zamoiski, heroic in scale, lies on a low stone bench.

Inside and out, the smooth round columns of the reinforced concrete skeleton provide a rhythmic regularity. Outside, they are sheathed with travertine; inside, with chromium. The glass screen walls are relieved by occasional surfaces of *juparaná* stone or blue and white tiles in a traditional Portuguese pattern.

The frontispiece gives some idea of the warm natural color of the rich materials. The interior is especially brilliant by night; pink mirrored walls, polished onyx ramps, and shining steel columns create a gaiety wholly suited to the purpose of the building.

Cassino, Pampulha, Belo Horizonte, Mina Gerais
Oscar Niemeyer, arquiteto, 1942

Quem se aproxime do bairro de Pampulha, avista o cassino sobre uma pequena elevação, ao lado de um lago artificial. O bloco leve levanta-se com as suas colunas redondas e de altura diferente conforme os acidentes da colina. Através dos vidros vêm-se nuvens, agua e montanhas, ao longe.

A graciosa extensão do alpendre curvo, abriga uma figura de bronze de Zamoiski, sobre um baixo sóco de pedra.

As colunas redondas e lisas da estrutura de cimento armado alteiam-se com rítmica regularidade, revestidas de travertino, do lado de fóra, e cromio, na parte interna. As largas paredes de vidro são interrompidas por guarnições de pedra juparaná ou azulejo branco e azul, à moda tradicional portuguesa.

O frontispicio aproveita-se da cor natural, quente do rico material. O interior destaca-se principalmente à noite. Reflexos roseos nas paredes, onix polido e brilhantes colunas de aço dão a alegria e a vida natural aos fins a que se destina o edificio.

Casino, Pampulha, Belo Horizonte

The system of ramps is undoubtedly extravagant. For circulation of slow-moving crowds it is, however, ideal. One ramp forms a convenient and safe service connection between pantry and restaurant.

In the circular restaurant are louvered walls of light tufted satin, a glass dancing floor lighted from below, and a small stage reached by ramps.

Above are two views of the entrance, one from outside, one from inside. Notice the clean intersection of the columns with the horizontal slab of the canopy.

Cassino, Pampulha, Belo Horizonte

O sistema de rampas é indubitavelmente um pouco estravagante. Para uma circulação lenta porem é o ideal. Uma dessas rampas está como ligação conveniente e segura entre a copa e o restaurante.

As paredes do restaurante circular são forradas de setim grosso. O assoalho para dansas é de vidro iluminado por baixo, e, mercê ainda de uma rampa, vai-se ao pequeno palco.

Em cima, duas vistas da entrada, uma tirada de fora e outra de dentro. Note-se a perfeita interseção das colunas com a superficie horizontal do alpendre.

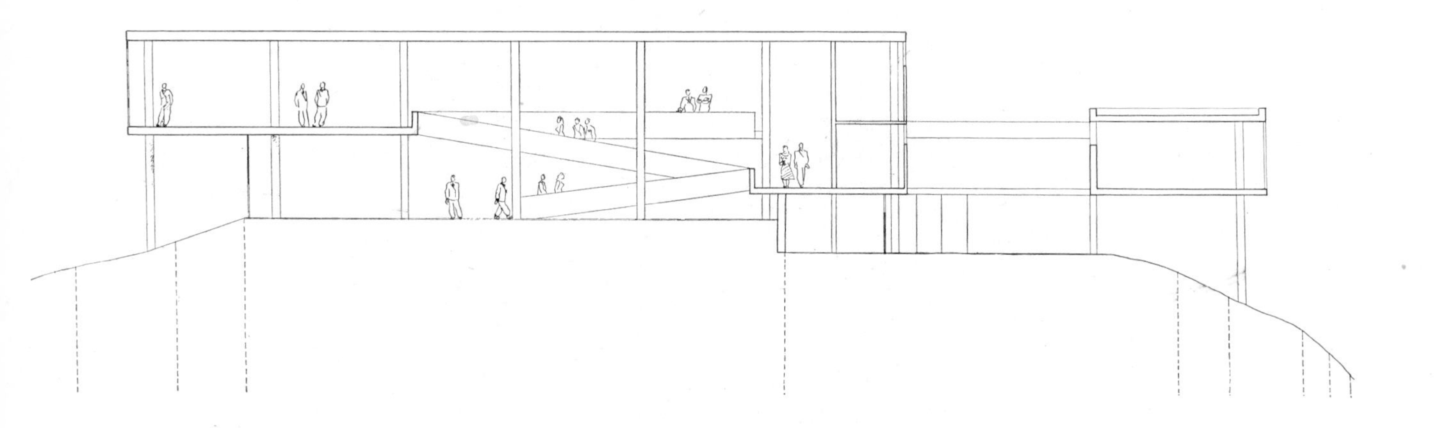

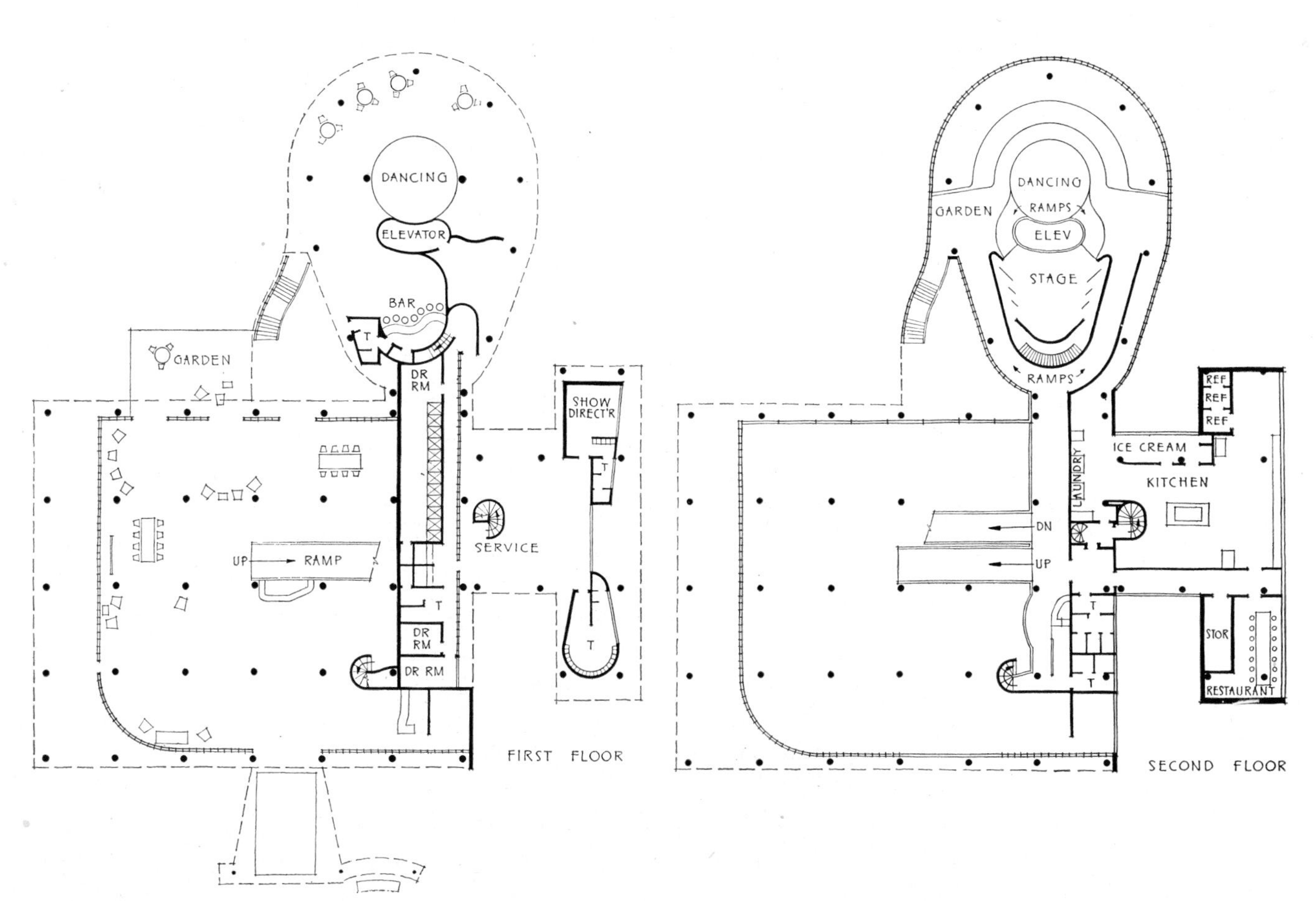
DANCING
ELEVATOR
BAR
T
GARDEN
DR RM
SHOW DIRECT'R
T
UP
RAMP
SERVICE
T
DR RM
DR RM
T
FIRST FLOOR
DANCING
RAMPS
GARDEN
ELEV
STAGE
RAMPS
REF
REF
REF
ICE CREAM
LAUNDRY
KITCHEN
DN
UP
T
T
STOR
RESTAURANT
SECOND FLOOR

Casino, Pampulha, Belo Horizonte

Above the main block rises the pear-shaped roof of the restaurant, surmounted by a curved water tank. Its outlines suggests a medieval donjon, but with what a difference! The old sits immovably on solid rock; the new walks on stilts. Beneath the restaurant is an outdoor dancing terrace (above).

The great main hall (upper right) is divided near its center by a two-run ramp cased with Argentine onyx of a yellow-green color. Above is a large balcony with roulette tables made of *caúna* wood (light yellow) and designed by the architect.

Cassino, Pampulha, Belo Horizonte

Acima do bloco principal aparece o teto do restaurante, em forma de pera, por cima do qual a caixa dagua encurvada. As linhas exteriores fazem lembrar um *donjon* medieval. Sob o restaurante acha-se um terraço aberto proprio para bailes (em baixo).

O grande saguão principal (à extrema direita) está dividido, próximo ao centro, por uma rampa dupla revestida de onix argentino verde e amarelo, que vai ter a um amplo balcão onde se vêem mesas de roleta de *caúna* de côr amarelo-clara e desenhadas pelo proprio arquiteto.

Island Restaurant, Pampulha, Belo Horizonte
Oscar Niemeyer, architect, 1942

A circular restaurant or "dancing" with a crescent of service rooms: decisive and unusual. But that is not all. The horizontal plane of the roof flows on out to become an organically curving garden shelter, then whips its tail into the water to enclose a small stage and a lily pond. Architecture and nature are delightfully intermingled. The illustration above shows the building still in construction; the wooden poles in front of the smooth tile walls are temporary.

Ilha-restaurante, Pampulha, Belo Horizonte
Oscar Niemeyer, arquiteto, 1942

Um restaurante ou sala de baile circular com uma crescente dividida em salas de serviço. Não é tudo porém. O plano horizontal do teto avança numa curva de maneira a servir de abrigo ao jardim. Esse plano prolonga-se ainda até sobre a agua e sobre um pequeno tanque de lirios. A arquitetura e a natureza deliciosamente confundidas. A ilustração acima mostra o edificio ainda em construção. Os espeques de madeira na parede de azulejos são provisorios.

1 bridge, 2 garden, 3 sculpture (Paixoto), 4 dining and dancing, 5 kitchen, 6-7 toilets, 8 orchestra, 9 stage, 10 *brise-soleil*, 11 dressing room

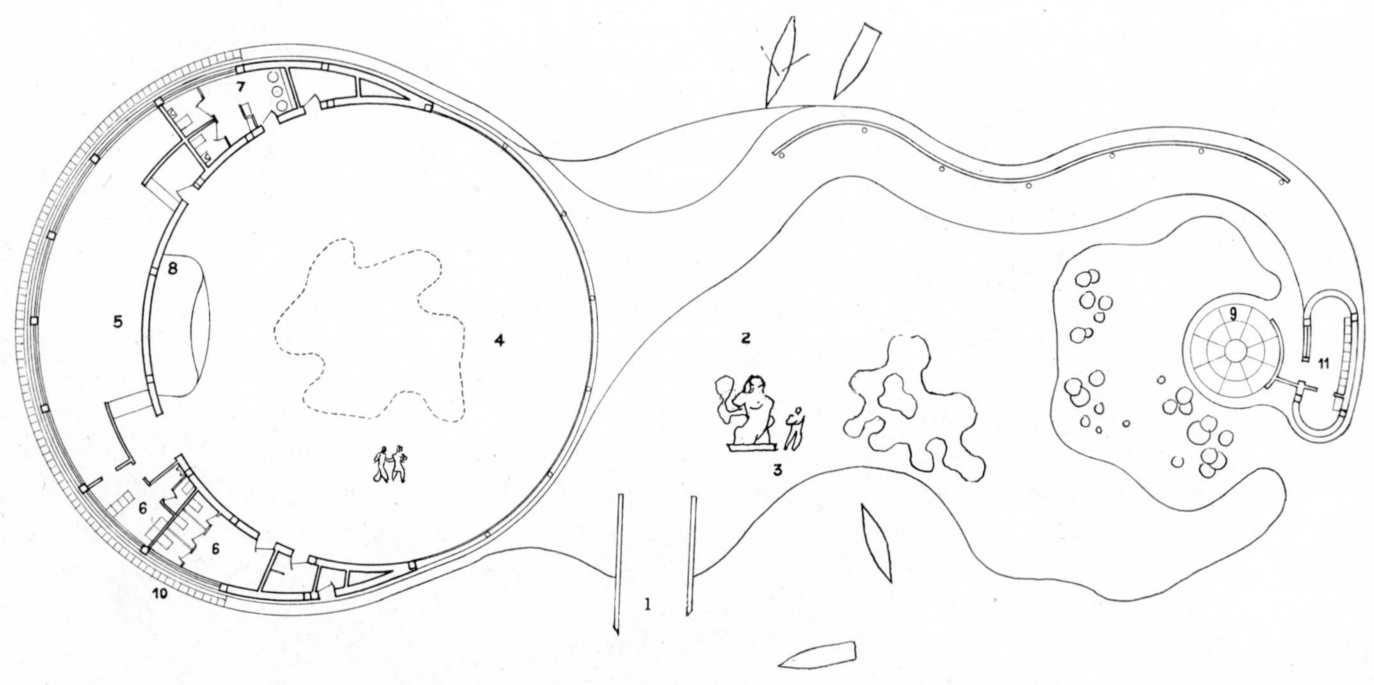

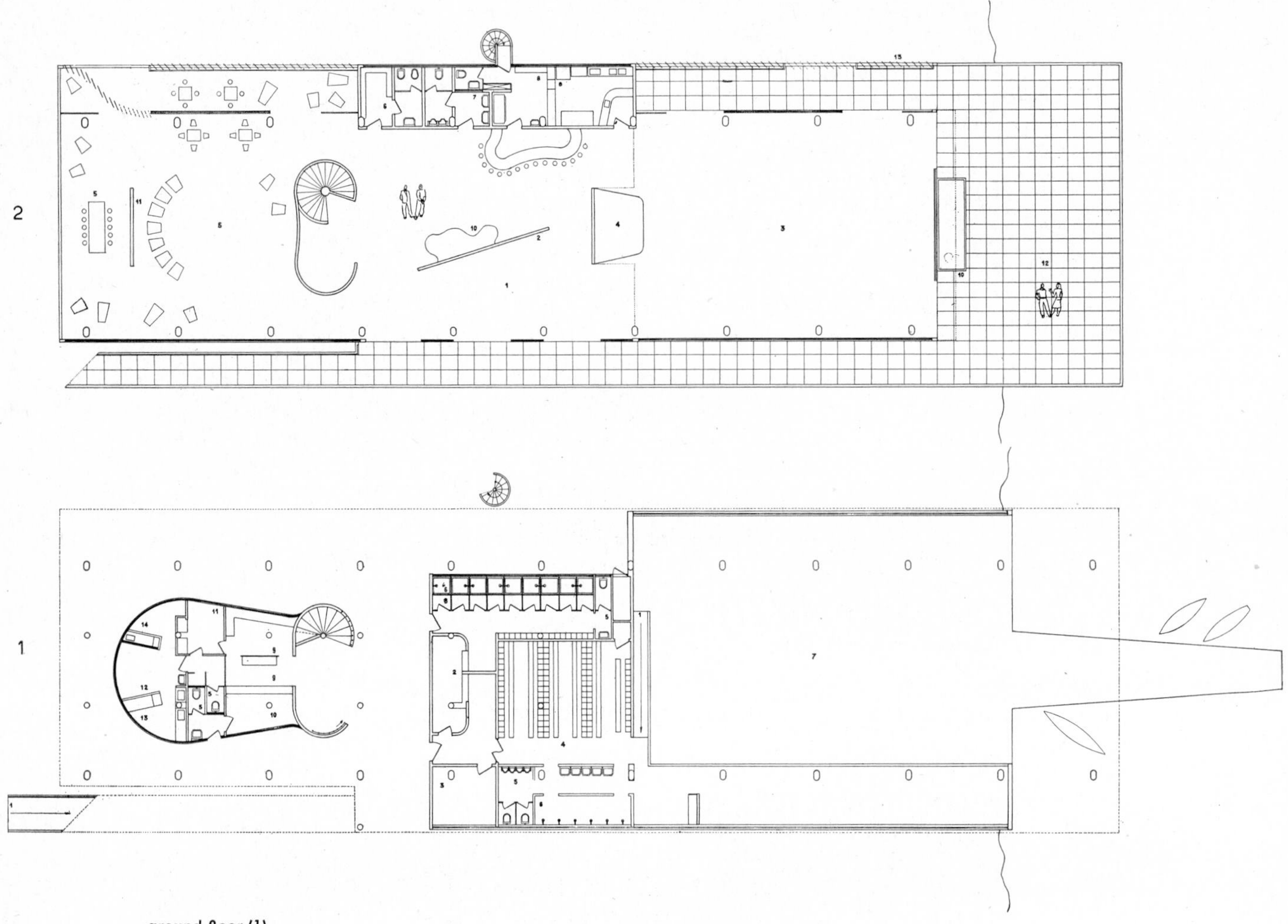

ground floor (1)

1 ramp, 2 laundry, 3 barber shop, 4-6 men's lockers, 7 boat house, 8 women's lockers, 9 waiting room, 10 secretary, 11-14 examination and treatment

upper floor (2)

1 hall, 2 mural (Burle-Marx), 3 dining room, 4 orchestra, 5 living room, 6-7 toilets, 8 kitchen, 9 bar, 10 pool, 11 mural (Percy Deanne), 12 terrace, 13 *brise-soleil*

Yacht Club, Pampulha, Belo Horizonte
Oscar Niemeyer, architect, 1942

The most remarkable feature of this long ship-like building is the inverted gable roof which rises at each end in straight, uncompromising lines.

Upon entering the grounds one first sees the tile-covered walls of the basement. On this lower level are offices, bath cabins and a shelter for rowboats, *pirogues* and shells. To the right is the main approach, an easy exterior ramp which leads to the principal floor above.

Yacht Club, Pampulha, Belo Horizonte
Oscar Niemeyer, arquiteto, 1942

O rasgo mais notavel deste comprido edificio em forma de navio é o remate invertido do teto que surge em cada extremidade com linhas retas e livres.

Ao chegar-se aí, a primeira coisa que se destaca são os muros de azulejos, do porão. Neste pavimento inferior acham-se os escritorios, cabinas de banho e abrigo para botes de remo, pirogas e canoas. À direita do caminho principal uma rampa leve conduz ao andar de cima.

Yacht Club, Pampulha, Belo Horizonte

At the top of the ramp, in the center, one turns into a generous hall subdivided by a low wall decorated with mural painting by Burle-Marx and an arrangement of flowers and fountains in serpentine boxes. To the left of the vestibule is a living room; to the right, a dining room. The unusual roof gives each of them extra height where it is most needed. Glass walls on the east and north give sweeping views over the lake to distant mountains.

Conspicuous in the dining room is a gracefully curved plaster shell designed to amplify the sound of the orchestra. The opposite end of the room opens on a terrace overhanging the water, serving both as outdoor restaurant and as roof to the boathouse beneath.

West of the building is a very large tiled swimming pool. The balconies which overlook the pool are protected from the afternoon sun by a vertical *brise-soleil* in two superimposed banks (illustrations at left).

Like the other buildings in the group, the construction is of steel, glass, and reinforced concrete, veneered in part with blue and white tiles.

Yacht Club, Pampulha, Belo Horizonte

Ao alto da rampa, no centro, entra-se num vestíbulo amplo subdividido por um muro baixo decorado com pintura mural de Burle-Marx e duma combinação de flores e fontes em caixas como serpentinas. À esquerda, uma sala de estar, à direita, a sala de jantar. O teto original acrescenta altura onde se faça necessaria. Paredes de vidros inquebraveis nos lados éste e norte abrem uma ampla vista para o lago e para as montanhas distantes.

A sala de jantar destaca-se pelo revestimento curvo que amplia o som da orquestra. O lado oposto do cômodo termina num terraço sobre a agua, servindo de parte externa do restaurante e de teto ao refugio das embarcações.

A oeste do edificio uma grande piscina de azulejos. Os balcões acima desta são protegidos contra o sol por parasois verticais em duas bandas superpostas (ilustrações à esquerda).

Como outras construções do conjunto, esta é toda de aço, vidro e cimento armado e em parte revestida de azulejo azul e branco.

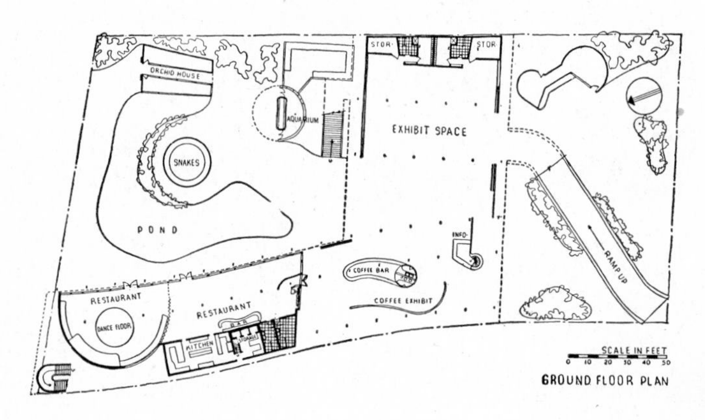

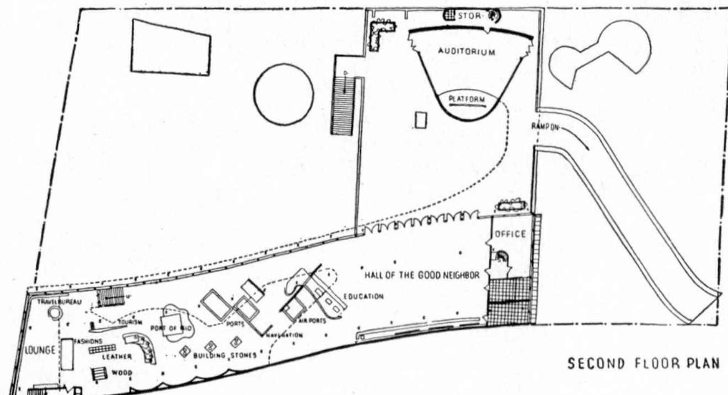

Brazilian Pavilion

New York World's Fair, 1939

Lucio Costa and Oscar Niemeyer, architects, with Paul Lester Wiener

There were a number of excellent modern buildings at the Fair, but none was more light-heartedly elegant than the Brazilian Pavilion. Frankly temporary, it was distinguished by its fluid space treatment and its fresh detail.

Pavilhão Brasileiro

Feira Mundial de Nova York, 1939

Lucio Costa e Oscar Niemeyer, arquitetos, com Paul Lester Wiener

Havia na feira de Nova York excelentes edificios modernos, mas nenhum de tão elegante leveza como o Pavilhão Brasileiro. Distinguia-se pela maneira feliz com que foi o espaço aproveitado e pelos seus pormenores vivos e frescos.

Gustavo Capanema

Rodrigo Mello Franco de Andrade

Oscar Niemeyer

Atilio Corrêa Lima

Marcelo and Milton Roberto

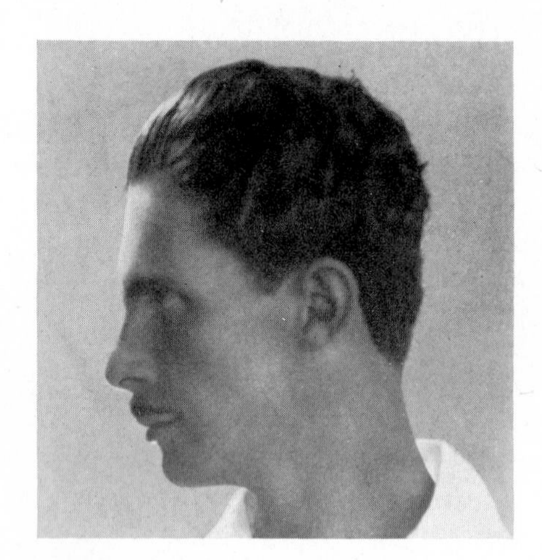

Alvaro Vital Brazil

Bernard Rudofsky

G. E. Kidder Smith

Philip L. Goodwin

DIRECTORY LISTA DE ARQUITETOS

de Andrade, Rodrigo Mello Franco. Rio (see SPHAN)
Director, SPHAN

Almeida, Pavalo Camargo. Avenida Nilo Peçanha, Rio
Rio: Old People's Home (Asilo de Inválidos), p. 134

de Brito, Saturnino Nunes. Recife
Recife: Anatomical Laboratory (Pavilhão de Anatomia Patológica), p. 159; Ministry of Finance (Recebedoria de Rendas), p. 104

Burle-Marx, Roberto. Rua Araujo Gondim, 46, Rio
Petrópolis: Garden for the Fazenda Garcia (Jardim para a Fazenda Garcia), p. 38
Pampulha, Belo Horizonte: Gardens for Casino and Restaurant (Jardims do Cassino e Restaurante), pp. 182-188

Corrêa Lima, Atilio. Avenida Rio Branco, 181, Rio
Rio: Seaplane Station (Estação de Hidroaviões), p. 150; Boat Passenger Station (Estação de Barcas), p. 156

Costa, Lucio. Rio (see SPHAN)
Rio: Ministry of Education and Health (Ministerio da Educação e Saude), p. 106
New York: Brazilian Pavilion (Pavilhão Brasileiro), p. 194

Ferreira, Carlos Frederico. Avenida Almirante Barroso, 78, Rio
near Rio: Realengo Workers' Housing (Casas para operarios no Realengo), p. 126

de Figueiredo, Dr. Nestor E. Avenida Copacabana, 1394, Rio
President, Instituto de Arquitetos do Brasil

Leão, Carlos. Rua Senador Dantas, 15, Rio
Rio: Ministry of Education and Health (Ministerio da Educação e Saude), p. 106

Levi, Rino. Edificio Esther, Praça da República, São Paulo
São Paulo: "Sedes Sapientiae," p. 146

Marinho, Ademar. Rua Buenos Aires, 24, Rio
São Paulo: Edificio Esther, p. 118
Niteroi: Instituto Vital Brazil, p. 160

Mindlin, Henrique E. Rua Veiga Filho, 567, São Paulo
São Paulo: House (Casa), p. 178; Apartments with showroom (Apartamentos com sala para exposição), p. 118

Moreira, Jorge. Rua Senador Dantas, 15, Rio
Rio: Ministry of Education and Health (Ministerio da Educação e Saude), p. 106

Niemeyer Soares Filho, Oscar. Rua Senador Dantas, 15, Rio
Rio: Ministry of Education and Health (Ministerio da Educação e Saude), p. 106; Day Nursery (Obra do Berço), p. 136; Cavalcanti House (Residencia Cavalcanti), p. 162; Own House (Residencia do proprio arquiteto), p. 166
Pampulha, Belo Horizonte; Casino (Cassino), p. 182; Restaurant (Restaurante), p. 188; Yacht Club, p. 190
Fortaleza: Johnson House (Residencia Johnson), p. 168
Ouro Preto: Hotel, p. 130
New York: Brazilian Pavilion (Pavilhão Brasileiro), p. 194

Norberto, José. Recife
Recife: Moura House (Residencia Moura), p. 178

Pilon, Jacques. São Paulo
São Paulo: Municipal Library (Biblioteca Municipal), p. 134

Porto, Carlos Henrique de Oliveira. Rua Buenos Aires, Rio
Rio: Industrial School (Escola Industrial), p. 142

Reidy, Afonso. Rua Senador Dantas, 15, Rio
Rio: Ministry of Education and Health (Ministerio da Educação e Saude), p. 106

Roberto, Marcelo. Rua Rodrigo Silva, 11, Rio
Roberto, Milton. Rua Rodrigo Silva, 11, Rio
Rio: A. B. I. Building (Associação Brasileira de Imprensa), p. 112; Institute of Industrial Insurance (Instituto dos Industriarios), p. 116; Hangar, p. 154
São Paulo: Industrial School (Liceu Industrial) p. 148

Rudofsky, Bernard. 60 East 55th Street, New York
São Paulo: Arnstein House (Residencia Arnstein), p. 170; Frontini House (Residencia Frontini), p. 174

SPHAN (Serviço do Patrimonio Histórico e Artístico Nacional). Avenida Nilo Peçanha, 155, Rio
Rio Grande do Sul: Museum of São Miguel (Museu de São Miguel), p. 42

Toledo, Aldary Henriques. Rua Almirante Barroso, 90, Rio
State of Rio de Janeiro: Fazenda São Luis, p. 176

Vital Brazil, Alvaro. Rua Buenos Aires, 24, Rio
São Paulo: Edificio Esther, p. 118
Niteroi: Instituto Vital Brazil, p. 158; Raul Vidal Elementary School (Escola Primaria Raul Vidal), p. 140

Warchavchik, Gregori. Rua Barão de Itapetininga, 120, São Paulo
São Paulo: Apartments (Casa de apartamentos), p. 118; Houses (Casas), p. 99 and p. 178